读国学 懂人生 ②

李居明
2011星座运程

李居明/著

陕西师范大学出版总社有限公司

辩证中华古文化　推广先贤超智慧

李居明先生简介

国际风水术数名师李居明先生诞生于中国香港，肄业于香港浸会大学传理系，曾任职报界及电影圈长达10年，于20世纪80年代中期全身投入传统文化命理术数工作，90年代中期以业余时间，开展佛教教育工作，由于李氏具开创及革命精神，其从事之工作均处处突破传统，又心怀正信及爱港爱国之情操，对自己要求极其严厉，虽为术数师，但处处追求“说迷信破迷信”之科学精神，在教育工作上，李氏以其宗教心成功拓展《般若心经》之普及潮，早有现代维摩诘“李居士”之美誉。近年李氏推广“子平命理学”，对中国古代文化赋以全新的演绎及运用，又重新辨正术数及堪舆学上的预测信息，著书立言，以正视听，提升中华古文化之社会地位，使华人社会之古文化教育，备受推广及尊重。

“李氏风水派”通过实证整理传统风水学，去芜存菁，其风水理论及操作均以灵验速显为特色。李氏默默耕耘，孜孜不倦，坚持谦逊及低调，谢绝各大小传媒宣传达十多年，每一年只高调出版他的《运程书》及《通胜》。难怪每到年底，李居明便人气急升，深受读者的关怀和等待，而一人拥有多本畅销运程书，术数界只此一人而矣。近年更成为中国内地最受欢迎的作家之一，其作品被翻版及伪冒，数量极巨，足证其受欢迎程度，并成为在香港诞生而于国内大受欢迎的另一代表性人物。

李氏在国际上知名度极高，曾用中国堪舆飞星秘技为美国考古学家寻找恐龙，于2002年成功发掘世界上首只海龙化石，又是首位被美加著名斑彩宝石矿破天荒以其名字命名者（Master Edward Li's Mine），皆因李氏以中国堪舆秘法寻找矿石埋藏地，成功地从2000年开始，发掘出“龙珠”及“彩虹”斑彩并引进世界珠宝市场。2004年底又以风水学之八运理论点穴开矿，于圣玛利河丘成功发掘出史上最高能量之“圣涌泉”激凸斑彩宝石，震惊宝石界。2008年再次用中国风水，发现恐龙化石及斑彩大螺，震惊中外。

李氏于2000年6月应邀赴美国亚特兰大为“可口可乐”全球总部勘察风水，又以其“八字神数”为可乐批算百年大运盛衰，可乐于是年调改商标颜色及全以“金水”为其包装及推广策略，均出自李氏之提议，李氏又对其发展大运提出多项警告。中国风水学首次挑战西方企业文化，风水文化成为外国传媒争论之对象，而事后李氏之预言及警告，均一一应验。为保护客户之私隐，李氏虽多次被美国传媒邀请著书公开秘密，李氏只答允于各当事人退休后，才以“回忆录”的形式公开，以维护其专业风水师之职业道德。其后李氏又为美加及欧洲十多家国际品牌担任风水顾问，曾为中国北京、上海、南京、天津、青岛、厦门、广州、深圳等大型商厦及屋苑担任风水设计师，引进中国传统文化的风水磁场文化于当代建筑学上，目今中国很多知名建筑物，均为李氏之设计作品。2007年获中国最高建筑物“高银117”委任为其风水工程师。为天津的“新京津”商业大小区担任总风水顾问及设计师。李氏之命理批算，在圈中早享盛名，特别是“八字神数”之批算，准确无比。批算事件既可述说年月日，又具改运法打破传统宿命之迂腐，深受中外读者之欢迎，排期以半年计，唯李氏坚持以最佳状态为读者批算，拒绝全职业机械化操作，每年依然过着其“半退休”的生活。春夏秋冬均与其弟子出外游历世界各地，特别喜爱礼佛及到风水宝地吸收灵气及修持，近年淡泊名利，社交活动极少参与。但他却说，可能会突发性地做一些特别的工作，只要是慈善的、创意的、有益社会大众的。李氏成立“密法归华慈善基金”，为祖国修庙建校，极为低调。2008年开始，正式全力投入慈善布施的社会工作，已兴建十间“希望小学”。

李居明的职业虽为术数师，他却利用业余时间，全情投入佛教教育工作，创办“中华港密修明佛院”，推广大盛于唐代之密宗投入社会服务，古为今用，推广先贤超智慧的金胎二部大法，于九龙塘“大师堂”创建私人佛院，给弟子及读者参拜及静修佛学，为弱势社群上坛做火供法事。2009年更完成兴建海南岛三亚“密法归华堂”。其革命性之佛学教育方式，别于传统，口碑极佳。李氏为第五十五世佛教真言宗金刚阿闍黎。李氏自言对宗教没任何野心，只担当培育工作，每年将其二十载修密之内证著书及写成佛歌流通，至今已出版十二张佛歌唱片，亲自填词主唱。首张国语唐密大碟“唐密传说”亦已在全国发行。

在著作方面，李氏分“术数系列”及“密宗系列”出版，至今作品已达百种，均深受读者喜爱。而最受瞩目的当然是三本大型摄影集《李居明怡然金刚法影集》、《密法归华法影图说》、《呀诺达大师》，掀起抢购潮。为了满足世界各地读者要求，李氏更破天荒开始主持网上节目“五夜梦回”，畅谈生活智慧及讲述“唐密入门”介绍密法，网友反应热烈，大大打破了香港与世界读者之间的隔膜。李氏每年设计之风水吉祥物，根据九宫飞伏化泄家宅凶星磁场，催旺吉星具足效应，精美创制有根有据，早为术数家及读者所称誉。把中华古文化先贤超智慧活用于今天，均具智慧及科哲理据，故受人尊敬和喜爱，令术数能正信地服务社会，而不流入江湖哗众之列。李氏每年的运程书，已成为中华各小区每年必谈论及阅读的文化。

编者序

2011年，让星座告诉你，是不是有好运在靠近

新的一年是好运连连还是霉运不断？是财源滚滚还是人财两空？是节节高升还是一败涂地？爱情离你是越来越近，还是渐行渐远？在2011年，国际运程大师李居明的《2011星座运程》终于登陆中国内地。第一次将大师级星座运程预测的玄机广而告之，让你预知未来运势，提早做好准备，避开倒霉事儿，迎接好运来，让你在新年里，事业、财富、健康、恋爱、婚姻等好运不断，平平安安！

李居明先生不仅是国际风水术数大师，同时也是闻名世界的占星大师，既精通中国传统文化，又通晓西方的占星术。李居明大师这次是将中西方占星文化融合后，为内地读者特地撰写的“星座运程书”。在这个网络时代，不论你是80后、90后，还是上了点年纪，你应该不会对星座这个命题感到陌生。因为“十二星座”的词儿已经在网络上泛滥成灾了。你或许可以搜到千百万条关于星座的运势判断，但如果要辨明真伪，却成了几乎不可能完成的任务。那么，该如何鉴别哪些信息是可值得信赖的呢？翻开本书，你就能找到答案。作为华人世界最牛的风水、占星大师和运程之王，李居明大师为你提供了最权威、最独到、最值得信赖的星座运程分析！

每个人都有机会创业成功、获得财富、享受甜蜜爱情、生活幸福，大师的忠告只是为你的未来提供一个简单的分析预测。所有的运气还要靠你坚持不懈朝着梦想努力才能得到。在新的一年里，无论世事如何变迁，无论环境如何起伏，你都要保持一颗坦然淡定的心，只有这样才能最终看到梦想成真！

2011年星座报告

星座性格

最花心星座：双子座、人马座、天蝎座

最易独身星座：山羊座、处女座、白羊座

最忠心星座：山羊座、处女座、金牛座

最善变星座：巨蟹座、天蝎座、双子座

最理智星座：天秤座、水瓶座、金牛座

最勤力星座：天秤座、处女座、双子座

最懒惰星座：人马座、金牛座、狮子座

最浪漫星座：水瓶座、双鱼座、处女座

最古板星座：天秤座、山羊座、狮子座

最反应敏捷星座：水瓶座、双子座、双鱼座

最口是心非星座：巨蟹座、天蝎座、双子座

最有人缘运星座：水瓶座、金牛座、人马座

最易受骗星座：狮子座、双鱼座、处女座

最主观星座：山羊座、巨蟹座、天蝎座

最冲动星座：白羊座、狮子座、人马座

最冷漠星座：山羊座、天蝎座、处女座

最顾家星座：金牛座、巨蟹座、山羊座

最多嗜好星座：双子座、人马座、白羊座

星座运势

最佳财富运星座：水瓶座、处女座、天秤座

最佳爱情运星座：巨蟹座、双子座、处女座

最佳事业运星座：水瓶座、处女座、双子座

最佳健康运星座：金牛座、白羊座、天蝎座

最破财星座：山羊座、巨蟹座、白羊座

最欠爱情星座：双鱼座、天蝎座、山羊座

最无心工作星座：人马座、狮子座、双鱼座

最多病痛星座：狮子座、山羊座、双鱼座

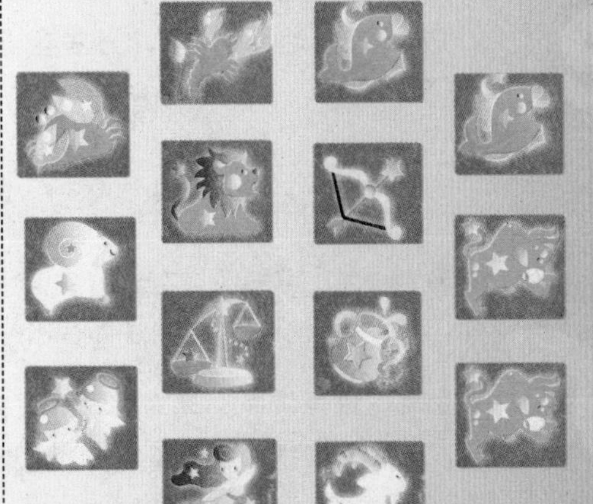

目 录

水瓶座

双鱼座

白羊座

金牛座

双子座

巨蟹座

狮子座

处女座

天秤座

天蝎座

人马座

山羊座

水瓶座

水瓶座是智慧与灵性结合的星座，重视精神世界，喜欢研究学术及文化艺术，是理想主义者，讨厌俗世的繁文缛节，喜爱自由和创新。

太阳星座日期：1 月 21 日—2 月 18 日

宫主星：天王星　　**阴阳性**：阳性

三方宫：风象星座

星座图腾：从瓶子中把水倒出来的女神

黄道十二宫的位置：第十一个星座

对应身体部位：小腿、血液循环

幸运颜色：天蓝色

幸运宝石：蛋白石

最佳优点：创造发明，勇于改革

最差缺点：破坏秩序、特立独行

适合职业：生化科技、高科技、计算机信息、影视、电信、无线电、顾问、自由职业

一 水瓶座男女

智慧与灵性结合的自由人

水瓶座是特别受人尊敬的星座！瓶子即是“樽”，“樽”者“尊”也，只要家中放一个樽或瓶子，便会受人尊敬，这是我发现的秘密！

而“水”代表智慧，水瓶座是智慧与灵性结合的星座，重视精神世界，喜欢研究学术及文化艺术，是理想主义者，讨厌俗世的繁文缛节，喜爱自由和创新。

水瓶座思考敏锐，但另外又相当单纯，不喜欢政治游戏，淡泊名利，很适合当思想家、宗教家、科学家、教师等。水瓶座的男性做事随心所欲，女性具有规划能力，不论男女均有语言天分，智商极高，能以惊人的才华获取成就，是典型的才子才女星座。

水瓶座有博爱精神，富包容力，重视朋友和婚姻，但经常希望保持自由，不受约束。对工作的热情也是来得快，去得快，需要不断找寻新鲜感，好在也拿得起，放得下，不会在任何问题上钻牛角尖。水瓶座有时会过于散漫及放浪，需要在别人督促及提醒下才会更脚踏实地的工作，将理想付诸行动。

在过去的20年，水瓶座受天王星及海王星影响，具有强大革命及创造精神，反对迂腐死板，主张去旧纳新，独树一帜，因此而创造不少奇迹，令人刮目相看。

在新的一年，水瓶座将继续发挥其独特创意，追求人生突破，伸张正义，宣扬博爱及利他主义，不计较个人得失，为大我而奉献。

萨科齐

法国总统萨科齐以“直言敢干”的强势作风著称，代表了水瓶男最希望达到的状态：宁愿充满争议，好过默默无闻。

章子怡

水瓶女勤于实务，极善攻心计，像一步登天的章子怡喜欢不走寻常路，但也常常陷入是非漩涡，水瓶女嫁入豪门的指数相当高。

二 2011年水瓶座全年运势

在掌声中继续前行

事业运

向外冲，可获空前成功

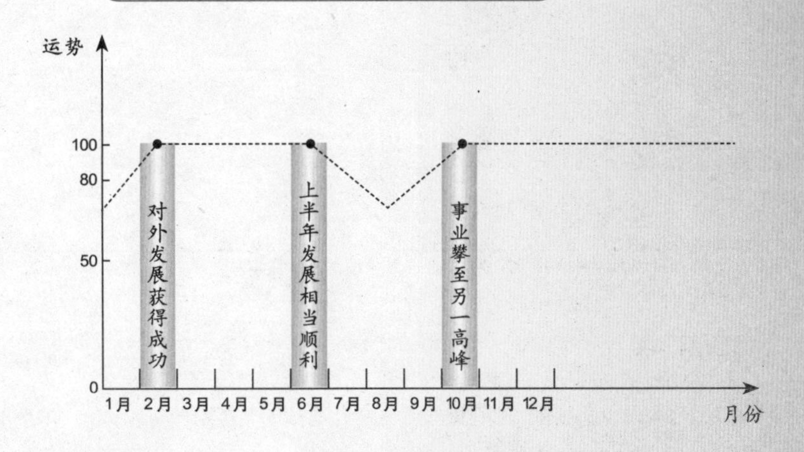

对于水瓶座的你，2011 年是对外发展、步向群众的一年！

这一年由于木星和天王星进驻“沟通宫”，你的社交活动会十分频密，知名度和地位急升，你能轻易地成为群中领袖，才华令人赞叹，所到之处掌声不尽！

因此，今年不妨放胆大展拳脚，从 2 月开始，一切对外发展将获得空前成功，使你获得极大满足感，对前景充满信心。

上半年发展相当顺利，一切都在你的掌握中。6 月份开始，当星宿移向星盘下方，家庭、爱情带来不少烦恼，使你无心恋战，虽然“工作宫”依然旺盛，你为工作而奔波，但发展明显地放缓。

这种情况一直持续至 10 月，当太阳、水星及金星在“事业宫”交会，你的事业将攀登至另一高峰，那时候，你可以随心所欲，尽情发挥。10 月之后，水星及金星移到“朋友宫”，你在社交圈将会大出风头，令别人对你又羡又妒。

财富运

财政变化较大，需谨慎投资

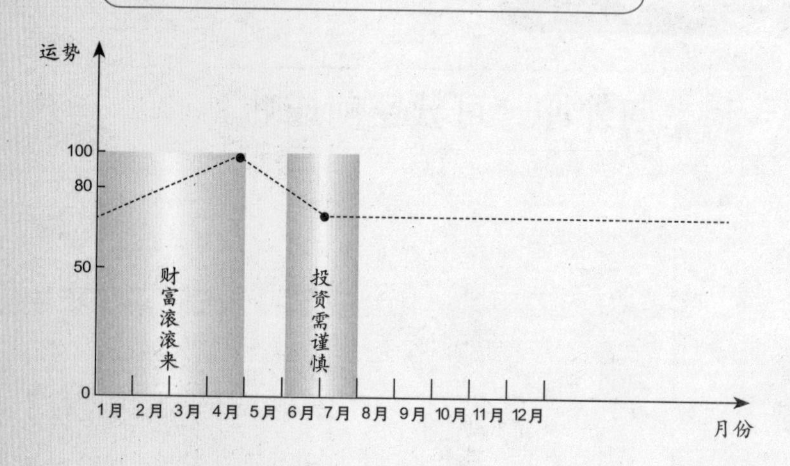

受不稳定的天王星及海王星影响，今年财政上的变化较大，你要谨慎地处理财务问题，切勿轻率大意。

今年1月到2月，5月到7月，天王星及海王星在“金钱宫”内逆动，意味着财政上会出现新的投资安排，或有新的制度产生。当然，你也要提防人为疏忽，导致失财、破财。

因此，你要小心看管着财富，勿因贪念或感情用事，落入别人圈套中。

今年2月到4月，你的财富滚滚而来，尤其到了4月份，财富运达到高峰期。但谨记，必须善用财富，因为4月之后，事业发展的阻力增加，投资要小心，切勿好大喜功，否则得不偿失。

另外，火星在3月份破坏“金钱宫”，那段时间支出会增加，星盘提示你，财富得来不易，因此要好好地运用，这样才不会来得快，去得也快！

爱情运

短暂的甜蜜期，爱情别幻想太多

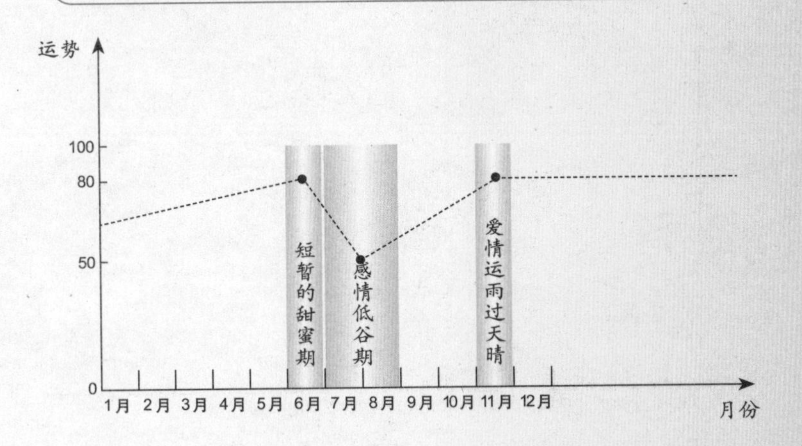

今年水瓶座的爱情运似有还无，一切在于你愿意付出多少！

金星和水星在6月份闯进“恋爱宫”，可惜水星只逗留了15天，金星逗留了20天，日子虽然短暂，相信还是甜蜜的。

然而甜蜜过后，火星将“恋爱宫”焚烧达半个月，到了8月，水星在“婚姻宫”逆转一个月；9月，火星又焚烧“婚姻宫”两个月。

假如你是未婚的水瓶座，奉劝你今年对爱情别幻想太多，爱情告吹的机会极高，今年先处理好财政和工作，缘份的事，留待火星高温冷却后再重新开始吧！

假如你是已婚人士，繁重的工作及外交，将使另一半对你有颇多不满，但你是聪明的瓶子，必定有方法化解危机，到了11月中后期，一切便会雨过天晴。

健康运

出门远游变数多，提防隐疾

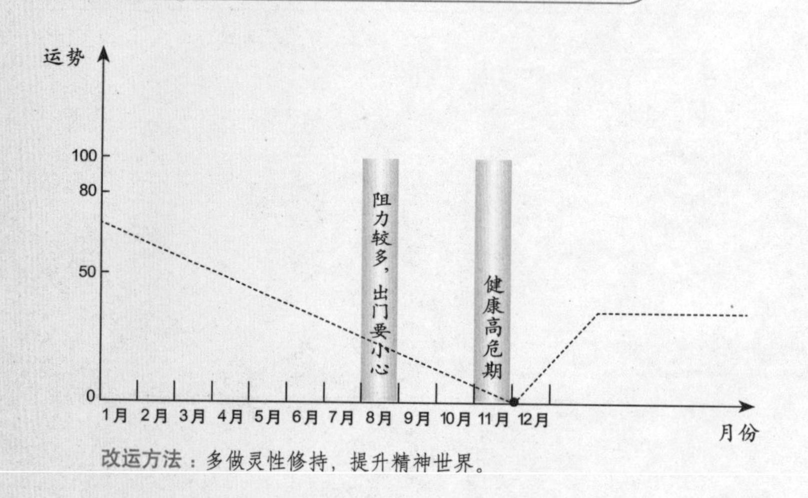

改运方法：多做灵性修持，提升精神世界。

水瓶座注意，今年健康的变化较大，要好好调理身体！

带来压力的土星进入“旅游宫”，这是代表变化的宫位，出门、远游要分外小心，遇到的障碍及阻力可能会较多，变化、变量也较大。

另外，海王星从8月开始在“本命宫”逆转，你要提防隐疾、旧患复发，也要控制情绪的起伏。11月是健康高危期，火星燃烧“生死宫”，进一步令健康承受压力，幸好你天性积极乐观，很懂得调剂生活，所以不会感觉枯燥乏味。

由于“心灵宫”一直受冥王星影响，若能多做灵性修持，提升精神世界，就可以平衡冥王星的负极能量，令身心发展更健康。

三 2011年水瓶座“十大天机”尽泄

最有情的成功拍档	金牛座 处女座 山羊座
最具挑战的竞争对手	双子座 天秤座 水瓶座
最得力的星座贵人	白羊座 狮子座 人马座
最失控的星座克星	巨蟹座 天蝎座 双鱼座
最经常在你身边出现的人	山羊座 双鱼座
最易犯的禁忌	晨运、家中种花、吃炸薯条、煲电话粥
最行衰运的打扮	穿红着绿、长发、留须、留指甲
最快转运方法	早上洗澡、吃雪糕、坐船、搬家、去欧洲旅行
最令你开窍的食物	鸡蛋、海鲜、牛肉、奶酪
最招财的饰物	宝石、白金、珍珠、斑彩石（海螺化石）

四 水瓶座行运大公开

水瓶座具贵族气派

你的脸庞和发型很整齐，五官轮廓鲜明，水瓶座是风象星座，给人轻盈飘逸的感觉，即使你身形肥胖，也灵巧优雅，绝不笨重。典型的水瓶座人经常嘴角含笑，具贵族气派，生活上你喜欢稍作变化，故意破坏传统，但其实你追求完整纯洁，衣着相当保守和传统。

水瓶座对爱情敏感

水瓶座人浪漫，但冷静而谨慎。你遇到的感情问题特别多，因为你喜欢独特的生活方式，讨厌受干扰。你倾向晚婚，为了迁就别人而改变自己，对于水瓶座人是一种牺牲和压力。你一方面享受爱情，另一方面渴望活在自由世界中，你对爱情敏感，重感情，关怀身边的人，在建立关系的同时，享受思想交流，追求灵欲和谐，但你却不会为此而放弃拥有自由的机会。

星座速配排行榜

名次	速配星座	速配率	速配指数
第1名	天秤座	93%	友情：★★★★★
			爱情：★★★★★
			婚姻：★★★★
第2名	人马座	90%	友情：★★★★
			爱情：★★★★
			婚姻：★★★
第3名	白羊座	85%	友情：★★★★★
			爱情：★★★
			婚姻：★★

水瓶座的吉祥物

水瓶座的吉祥符号是波浪形，这是象征有情的宇宙密码。你喜欢高贵的兰花，水果方面，爱吃桃、梨和苹果，对中草药情有独钟。

象征智慧和思考的紫水晶及绿宝石，特别吸引水瓶座人。运动方面，轻巧的羽毛球最能表现你的灵巧机智。

水瓶座人喜欢买画笔、剪刀，行运的你特别喜欢收集古董、邮票。水瓶座人爱选用金属或玻璃装饰家居，并且偏爱浅白色及简单线条，柔软的丝绸极适合要求高品位生活的你。

水瓶座跟“鼠肖”有关？

将中国的十二生肖与西洋十二星座结合，原来水瓶座跟“鼠肖”出现相同密码！两者的关系十分微妙。

鼠人桃花极旺，专长和爱好多，喜欢结交朋友，对事物观察入微。水瓶座机灵、警觉，反应敏锐，不受羁绊，受人欢迎，身边支持者众多。

水瓶座享受在无拘无束的环境下，不断探索，找寻新鲜感，不会墨守在旧有方式上。而鼠人天生有一种不安分的奇怪性格，喜欢四处乱闯，即使不断碰壁，依然乐此不疲。

水瓶座最喜欢高贵的兰花

五 2011年水瓶座每月运程

1月 有贵人助你一把

本月运势重点

- 人际关系上有贵人相助
- 财富出现新的安排调配
- 社会地位逐步提升
- 活力充沛、充满希望

踏入全年第一个月，你需要多花心思在人际及财政调配方面！

水星在上一个月逆转，本月尚有点余波，月初时人际关系上有点阻滞，使你心情烦闷。幸好1月8日后，金星在“朋友宫”出现，带来强大贵人支持力，水星进驻“心灵宫”，你的信心大增，散发魅力与神采。

但你不可完全放松下来，因为天王星在“金钱宫”的逆转还未结束，从去年8月份开始，天王星一直影响财富出现新的安排调配，为此，有时你会感到劳心劳力。

不过有变化才有进步呀！况且木星一直给你有力支持，带来金钱的满足感。到了23日后，木星转到“沟通宫”，你的社会地位将会逐步提升，使你在上半年感到飘飘然。因此，本月虽有不少烦恼，只要贵人出现，便会烟消云散！21日后，太阳和木星发出强大光芒，抵消火星的负极能量，那时候你会感到活力充沛，对未来充满希望。

水瓶座本月的好日子

1	2	3	4	5	6	7	8★	9	10
11	12	13	14	15	16	17	18	19	20
21★■	22★■	23★■	24	25	26	27	28	29	30/31

♥爱情 ■事业 ▲健康 ●财富 ✿家庭 ★人际

2月 人气急升的瓶子

掌握运势重点

- 人际关系水涨船高
- 头脑精明、创意无限
- 小心身体健康
- 收入增加、支出也增大

这个月，你前所未有地自信心膨胀，对外关系水涨船高，令你的地位急速提升！

本月一切都在你的意料和掌握中，太阳跟水星、海王星在“本命宫”交会，使你头脑精明，创意无限。这时金星照亮“心灵宫”，你显得相当兴奋，获得极大满足感。木星的影响力不断向外扩张，你成为众人焦点，所做的一切赞赏之声不绝。

但你切勿得意忘形，火星不断破坏水瓶座，可见反对力量一直存在，你要小心身体健康，不要因小事令信心动摇或心情受损。

这个月财政会继续出现变化，这种变化在月底正式结束，20日后，当太阳及水星转到“金钱宫”，财富会出现新的局面，金钱源源不绝地涌来，但同时，支出也大增，看来需要付出的代价也不小呀！

幸好从星盘所见，你一直保持强大自信，感到付出的十分有价值。

水瓶座本月的好日子

1	2	3■	4■	5■	6	7	8★	9	10
11	12	13	14	15	16	17	18	19	20●
21●	22●	23●	24	25	26	27	28		

♥爱情 ■事业 ▲健康 ●财富 ✿家庭 ★人际

3月 地位越攀越高

掌握运势重点

- 外发展趋势锐不可挡
- 容光焕发，神采飞扬
- 财政压力增加
- 出门旅游要分外小心

你的风头越吹越劲，一发不可收拾！

太阳、水星、木星与天王星在“沟通宫”内罕有地连成一线，你的对外发展趋势锐不可挡，地位大幅提升，你的出现抢尽风头，令别人甘拜下风！

海王星及金星整个月停留在“本命宫”内，使你容光焕发，神采飞扬，满脑子都是发展大计。此时，天王星已完成整个变化周期，守护着“沟通宫”，意味着未来的七年，水瓶座会极积向外发展，因为能言善辩，面面俱到，而成为社交场中的大红人。

这个月唯一使你烦恼的，依然是财政问题，不要忽视火星的破坏力。因此要戒除过度挥霍或投资过大，否则会令资金紧张，事业发展勿操之过急。幸好这种情况到了月底便会得到改善，到了28日，当金星移进“金钱宫”，会带来可观收入，舒缓财政压力。

虽然你的发展如日中天，但留意土星一直压着“旅游宫”，出门旅游要分外小心，这也暗示对外扩张隐藏阻力，不能掉以轻心。

水瓶座本月的好日子

1	2	3★	4★	5	6	7	8	9	10
11	12	13■	14■	15■	16	17	18	19	20
21	22	23	24	25	26	27	28●	29●	30/31

♥爱情 ■事业 ▲健康 ●财富 ✿家庭 ★人际

4月 金星带来丰富收获

掌握运势重点

- 尝到成功的甜头和滋味
- 社交生活独占鳌头
- 易招人妒忌
- 切勿被胜利冲昏头脑

忙了好一段日子，终于有所收成！

掌管财富的金星闪耀“金钱宫”，使你尝到成功的甜头和滋味。星盘上找不到其他干扰力量，你可以安心地享受成果，好好地运用财富。

这个月，星盘再次出现奇景，天空中所有行星几乎全部齐集“沟通宫”！

此刻的你，拥有灵巧的外交策略，斗志高昂，所以一定要一鼓作气，把所有心思都花在对外发展及社交生活中。假如你从事公关、推销等客户服务，一定可以在行业中独占鳌头。

但留意，从月初开始，充满破坏力的火星也跻身“沟通宫”，提示你树大必招风，但这也未必是坏事，不招人妒是庸才呀！

因此你要随机应变，切勿被胜利冲昏头脑，到了22日，金星的光芒照遍“沟通宫”，你的锋芒把所有人都比下去！

再一次，你让所有人明白，一直以来你都是凭实力取胜，成功绝非侥幸！

水瓶座本月的好日子

1	2	3★	4	5	6	7	8	9	10
11	12	13	14	15★	16	17	18	19	20
21	22●	23●	24■	25■	26	27	28	29	30

♥爱情 ■事业 ▲健康 ●财富 ✿家庭 ★人际

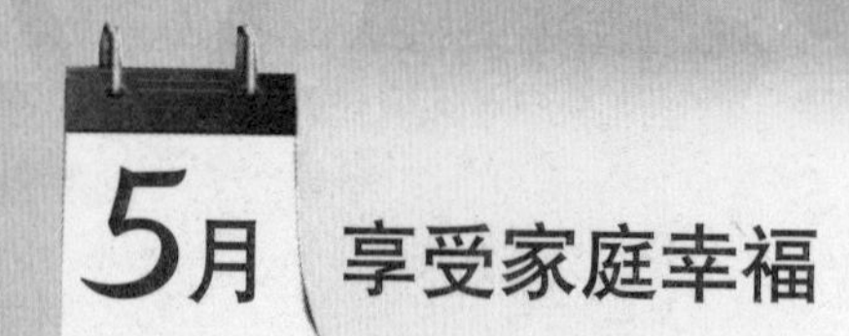

5月 享受家庭幸福

掌握运势重点

- 把精神和注意力放回家庭上
- 尝试从爱情找到满足感
- 家庭带来的烦恼相当多
- 财富机会只是骗人的假象

在上半月，你继续陶醉在未来发展大计中，水星、金星、火星、木星及天王星仍然眷恋着“沟通宫”，正负两股势力互相拉锯。

一直到16日，当水星、金星与太阳在“家庭宫”相遇，你逐渐把精神和注意力放回家庭上。

但你极有可能只是迫于无奈，因为火星从12日开始燃烧“家庭宫”，家人对你有点不满和投诉，因此你要及时作出补救措施。与此同时，太阳照耀“恋爱宫”，你开始尝试从爱情中找到满足感。

从下半月开始，你致力于维系家人、爱人的和谐关系，从星盘可以看到，家庭带来的烦恼相当多呀！幸好你有足够能力应付，并且身边出现助力。因此，一切只不过是小风波，让你有机会从工作中暂停下来，享受亲情及爱情。

海王星在本月开始其变化周期，水瓶座可能会遇到一些财富机会，但一切只是骗人的假象！

水瓶座本月的好日子

1■	2■	3★	4★	5	6	7	8	9	10
11	12♥	13♥	14	15✿	16✿	17	18	19	20
21	22	23	24	25	26	27	28●	29●	30/31

♥爱情 ■事业 ▲健康 ●财富 ✿家庭 ★人际

6月 爱情越浓越短暂

掌握运势重点

- 爱情无法长久
- 全力向理想进发
- 成为社交红人
- 解开家庭困扰

爱情已经迫近，但火星提示你，凡事别过分投入，尤其是爱情!

这个月初，太阳、水星及金星交会成一线，把“恋爱宫”照得通明，可惜太浓的爱情通常无法长久!

因此这种爱只能维持10天，6月中后期，当水星及太阳相继离开，留下金星独力支撑，到了22日，火星来势汹汹地闯进“恋爱宫”，燃烧长达45天，令爱情希望付诸流水!

而聪明的你，从下半月开始把心思都放在工作上，水星和太阳为你打气，使你活力充沛、思想敏锐，你不愧是智慧的瓶子，很快便找到新的目标，全力向理想进发，丝毫没有停下脚步。

这个月，天王星继续使你成为社交红人，木星守护“家庭宫”，助你解开家庭困扰，虽然偶有感情烦恼，但对于你微不足道，反而使你更努力向前迈进。

水瓶座本月的好日子

1♥	2♥	3♥	4♥	5	6	7	8	9	10
11	12	13	14★	15★	16	17	18	19	20
21	22■	23■	24	25	26	27	28	29	30

♥爱情 ■事业 ▲健康 ●财富 ✿家庭 ★人际

7月 最想要的是爱情的甜果

掌握运势重点

- 很努力地工作
- 不易冲破爱情阻力
- 珍惜你所拥有的

这个月你很努力地工作，不过水星揭开你的内心世界，你渴望得到的是美满的婚姻生活！

金星在月初已经跑进“工作宫”，跟太阳互相辉映，你抖擞精神，尝试从工作中寻找人生乐趣，但反映心灵世界的水星此时悄悄地溜进“婚姻宫”。

你最想得到的是什么？从星盘可以看得一清二楚。

尽管你把所有时间投入工作，但内心深处，仍然思念着伴侣，火星整个月都在“恋爱宫”燃烧，要冲破爱情阻力真的不易呀！但你没有放弃，仍然希望尽一切努力挽回。

因此，你的烦恼来自爱情，为此而花很多心思，你最希望收成的不是事业，而是爱情的甜果！

有些东西当你失去了才会珍惜；当你千方百计想得到时，那东西偏偏离你越来越遥远。

水瓶座本月的好日子

1	2♥	3♥	4	5	6✿	7✿	8	9	10
11	12	13■	14■	15	16	17	18	19	20
21	22	23	24	25	26	27	28	29	30/31

♥爱情 ■事业 ▲健康 ●财富 ✿家庭 ★人际

8月 对人生泰然处之

掌握运势重点

- 对婚姻出现焦虑、疑惑
- 无法集中精神工作
- 健康运不佳

踏入8月，这是一个关键时刻，因为水星及海王星同时逆转！

从9日开始，水星在“婚姻宫”内逆转，意味着你对婚姻有一种新的看法、新的体验，或作出新的安排！

但一切并非想象中那样可怕，因为金星及太阳一直守护着“婚姻宫”，因此，我的看法是，一切只是你的心理反应而已，实际上没有造成重大转变。

明显地，你对婚姻出现焦虑、疑惑，但金星和太阳把影响减至最轻微。

真正受影响的，反而是你的工作！

整个月，火星都停留在“工作宫”内，心神紊乱的你无法集中精神工作，又或者是工作上遇到极多不如意，使你对爱情也失去信心。

此外，海王星从6日开始其长达半年的逆转周期，这段时间将会对你的健康造成影响，因此，这个月你要学会放松、放下，别再让无聊的事情困扰你，不值得呀！多与家人一起，可使你心情愉快。

水瓶座本月的好日子

1	2	3	4	5	6✿	7✿	8	9	10
11	12	13	14	15	16	17	18	19	20
21	22	23	24	25	26	27	28	29	30/31

♥爱情 ■事业 ▲健康 ●财富 ✿家庭 ★人际

9月 让自己忙碌起来

掌握运势重点

- 适合外出旅游
- 工作表现差强人意
- 感情问题不胜其烦
- 把握发展的黄金时机

这个月最适合做一件事，就是旅游！

月初时继续受水星逆行影响，你的思潮七上八下。火星一直燃烧“工作宫”，使你的头脑不大清醒，表现差强人意，到了20日，火星移到“婚姻宫”，感情问题使你不胜其烦。

要解决这些问题，星盘提示你，到外地旅游可使你得到新的灵感启发，甚至找到新的工作、感情发展机会。

16日之后，金星、水星及太阳在“旅游宫”内相会，这便是你重新发展的黄金时机，不去把握是你的损失！

不去旅游的话，搬家、装修、转换工作环境，都可使你找到新的灵感，到郊外走一走，甚至在公园跑跑步，也是一种转运法。

当遇到不顺时，把自己变做一个风车，只要不停转动，一定可以转出好运！

水瓶座本月的好日子

1	2	3	4	5	6	7	8	9	10
11	12	13	14	15	16●	17	18	19	20
21	22	23	24	25	26	27	28	29	30

♥ 爱情 ■ 事业 ▲ 健康 ● 财富 ✿ 家庭 ★ 人际

10月 要风得风的日子

掌握运势重点

- 事业攀到全年最高峰
- 伴侣可能对你有些怨言
- 紧张工作带来健康隐忧

这是值得高兴的月份，三星继续使“旅游宫”发出强大光芒，你从旅游的变化中找到新契机，充满新的创造灵感。

10日之后，金星、水星及太阳相继移到“事业宫”，24日后，三星在“事业宫”内交会，那时候，你的事业攀到全年最高峰，旁边再找不到任何阻力。

金星赐予你勇气和自信，水星给你智慧，太阳使你精力充沛，你要风得风，要雨得雨，上天把一切最好的全送给你！

至于专门捣乱的火星跑到“婚姻宫”，伴侣可能对你有些怨言，但你要全力在事业上冲刺，牺牲一点爱情空间也是难免呀！

而且，木星和天王星一直守护着你，使你在家庭及人际方面均有出色表现。火星变得势单力薄，破坏力十分有限。

唯一要小心的是海王星，海王星逆转会对健康造成隐忧，工作勿过分紧张，除了赚钱，也要赚取健康，才是真正的胜利！

水瓶座本月的好日子

1	2	3	4	5	6	7	8	9	10■
11■	12	13	14	15	16★	17★	18★	19★	20
21	22	23	24■	25	26✿	27✿	28✿	29	30/31

♥爱情 ■事业 ▲健康 ●财富 ✿家庭 ★人际

11月 社交运达到高峰

掌握运势重点

- 社交运推向高峰
- 心情非常好
- 保持健康的身心状态

当你拥有很强的事业时，人人都想跟你做朋友！

金星及水星在3日并肩进入“朋友宫”，整个月你沉醉在社交生活中，所有人都被你的风采吸引，到了23日，太阳的光芒到达“朋友宫”，将你的社交运推向高峰！

在28日，“心灵宫”被金星照得闪闪发亮，从星盘可看到，在这段日子，你真的乐透了！

但千万别得意忘形！

别忘了海王星一直干扰你的“本命宫”，这个月，火星闯进“生死宫”，使你的健康进一步承受压力。

因此，你不可以暴饮暴食，夜生活可免则免，这些都是影响健康的头号杀手！

在繁闹过后，找个晚上静下来，聆听大自然的声音，或早一点起床，到公园呼吸新鲜空气，都可使你保持健康的身心状态。

水瓶座本月的好日子

1	2	3★	4★	5	6	7	8	9	10
11	12	13	14✿	15✿	16	17	18	19	20
21	22	23★	24	25	26	27	28	29	30

♥ 爱情 ■ 事业 ▲ 健康 ● 财富 ✿ 家庭 ★ 人际

12月 星盘上有怪现象

掌握运势重点

- 贵人留在你身边
- 支持你的人很多
- 必须注意健康

到了年终最后一个月，贵人留在你身边，给你守护，使你得到极大满足感，心情畅快！

水星及太阳继续留在“朋友宫”内，支持你的人真的很多呀！金星把“心灵宫”照得通明，你拥有强大实力，充满自信，过去的努力并没有白费。

到了21日，金星进入“本命宫”，23日太阳照耀“心灵宫”，那时候，你的情绪高涨，对前途充满信心，你心中明白，未来好的日子还有很多呢！

但要再次提醒你，火星猛烈地焚烧“生死宫”，火焰一直到明年的7月才熄灭，这是星盘上极罕见的怪现象！

火星是破坏星，不要轻视此星的破坏力，加上海王星在水瓶座的“本命宫”内极不稳定，因此，你必须注意健康，定期检查身体。

此外，还要改善饮食及生活习惯，保持心情开朗，令心灵获得滋润，这才是对抗火星的最好方法！

水瓶座本月的好日子

1	2	3★	4★	5	6	7	8	9	10
11	12	13	14	15	16	17	18	19	20
21▲	22	23▲	24	25	26	27	28	29	30/31

♥爱情 ■事业 ▲健康 ●财富 ✿家庭 ★人际

双鱼座

天生机灵的双鱼座反应快人一步，自信心爆棚，凭自己的灵感和直觉做事，不听别人劝告，也不爱计划，经常于误打误撞中，自创一套成功方法。

太阳星座日期：2 月 19 日—3 月 20 日

宫主星：海王星　　**阴阳性**：阴性

三方宫：水象星座

星座图腾：对游的鱼

黄道十二宫的位置：第十二个星座

对应身体部位：脚、淋巴腺

幸运颜色：白色

幸运宝石：珊瑚

最佳优点：情感细腻，善解人意

最差缺点：意志薄弱，容易沉迷

适合职业：社会慈善服务、咨询、药商、电影、文化、表演艺术创意事业、航运、海洋生态、烟酒业、宗教事业

一 双鱼座男女

重感情讲实际的双重性格

双鱼座的标记是两条鱼。

双鱼座一定要找到伴侣才好运！

对爱情忠贞的双鱼，一方面重视感情，也很讲求实际，属双重性格的人，喜欢以双重面孔示人，有浓厚的保护主义，不会轻易表露内心的真实一面。

天生机灵的双鱼座反应快人一步，自信心爆棚，凭自己的灵感和直觉做事，不听别人劝告，也不爱计划，经常于误打误撞中，自创一套成功方法。

而精明的双鱼座对金钱特别敏感，最懂“计数”，最怕吃亏，对财富绝不含糊，也不会感情用事，打理财务井井有条。在处理感情问题时，立场清晰，界限分明，绝不拖泥带水。

受海王星影响，双鱼座讲求理智和原则，是务实派和行动派，天赋极高，爱好和理想也相当多，但不够深思熟虑，欠长远目光，有时给人眼高手低、虎头蛇尾的感觉。

双鱼座仿如一对活泼小鱼儿，活在自己的小天地中，自得其乐，懒得理睬身边的人和事，无论面对多大的烦恼，双鱼座总是笑嘻嘻，成竹在胸，令人摸不透虚实，而这正是双鱼座的生存与成功之道。

方中信

双鱼男是天生的爱情高手，浪漫而柔情深藏，经得起风雨历练，常常被人称为“满分好男人”。

赵薇

大智若愚的双鱼女，往往有着温柔的表面和倔犟的内心，就让人觉得她们很难捉摸，暧昧，飘忽。

二 2011年双鱼座全年运势

从变化中脱胎换骨

阻力增多，充满挑战和变化

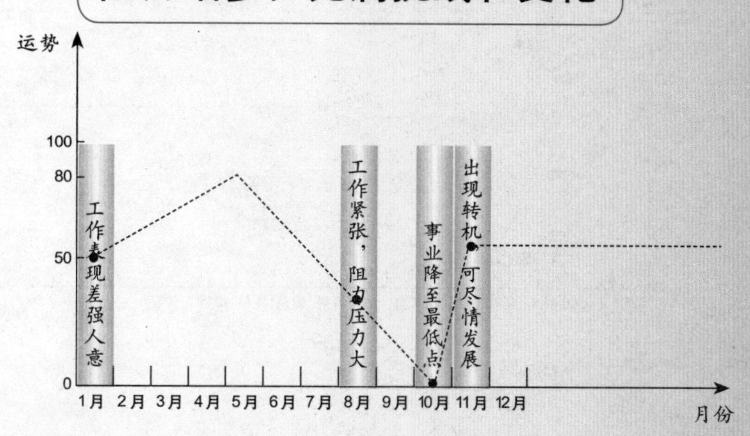

对于双鱼座，这是充满挑战和变化的一年，因此你要打起精神面对，今年阻力虽然多，但只要努力捱过，未来 14 年将会呈现一种新气象！海王星是掌握智能、信息的星宿，当此星完成逆转，回归本命宫，双鱼座将会脱胎换骨，拥有焕然一新的精神面貌。

年初时，你在思想上遇到不少冲击，情绪起伏不定，虽然你很努力地工作，但表现差强人意。你经常纠结于事业与爱情中，拿不定主意。你必须控制情绪，耐心地化解问题，不能操之过急。

8 月是一个混乱的月份，越紧张工作，招来的阻力与压力越大。

到了 10 月，变化到达高峰，这段时间，不妨考虑搬家、换工作、旅游，不停地变化活动，可以使你在不经意中创出新天地！

当进入 11 月，所有星宿齐集于“事业宫”，那时候，你拥有强大能量，可以尽情发展事业。因此，这是一个漫长的变化过程，有些事情，并非单靠努力就可以控制，还要配合环境因素。虽然这个春天来得有点迟，但总算证明你的付出没有白费，你已经走对了方向！

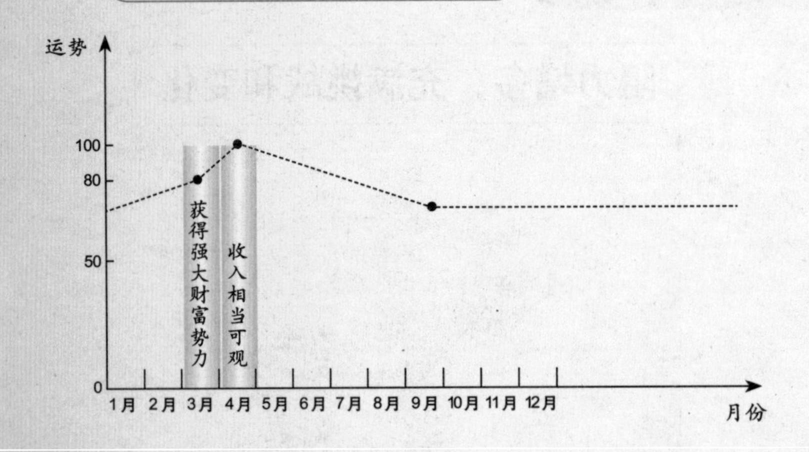

今年你的收入其实不俗，从 3 月开始，太阳、水星及天王星先后进入“金钱宫”，与木星会合，你心中有很多赚钱大计，并积极地进行。同时还会获得强大财富势力撑腰，使你雄心勃勃，对未来充满希望。

4 月 22 日，当金星也进入“金钱宫”，你将得到相当可观的收入。

不过，别开心得太早！因为从 4 月开始，火星便挤进“金钱宫”内，与众星抗衡。你必须戒除奢侈浪费，忌参与高风险投资，小心破财、失财，要珍惜财富，好好计划及运用。

可以的话，多做点善事吧！布施财富，有助你化解破财一劫。

无法全情投入，爱情冷却

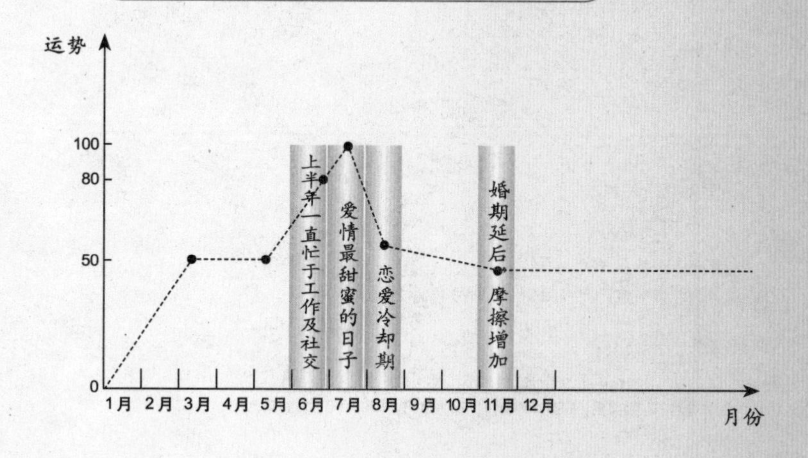

你最好有点心理准备，今年的爱情稍纵即逝，虽有火花，但难以维持长久。

上半年，你一直忙于工作及社交生活，直到6月，当水星及太阳进入“恋爱宫”，你渴望得到爱的滋润。

在7月份，金星照耀“恋爱宫”，那是你爱情最甜蜜的日子，不过，从星盘所见，家人带来一些噪音，工作又非常忙碌，你似乎无法全情投入恋爱中，令爱情很快便冷却下来。

从8月开始，火星破坏“恋爱宫”长达50天，到了11月，火星又燃烧“婚姻宫”，这一次竟长达8个月，要直到明天7月才能终止！

所以，假如你是未婚的双鱼，可能你暂时根本没有结婚打算，甚至对此有点抗拒，如是已婚的双鱼，你会对伴侣感到有点失望，心中充满解不开的疑惑。

健康运

健康和情绪面临最大挑战

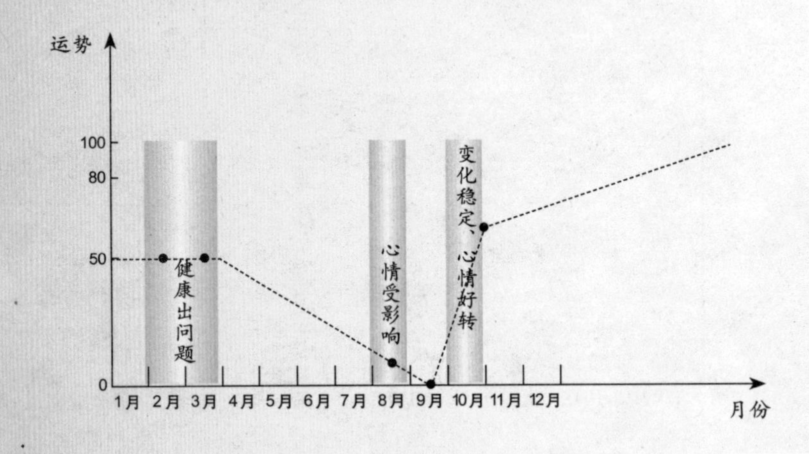

今年双鱼座最大的挑战，来自健康和情绪！

土星全年压着“生死宫”，年初时最好先做全身检查，小心意外，避免一切高危活动。

受到海王星逆行影响，你特别容易心烦意乱，多找朋友谈心有助于舒缓压力。

2 月到 3 月，火星燃烧双鱼座的本命宫，加上天王星在宫内极不稳定，小心健康出现变化。到了 8 月，海王星及水星逆转，将令你的心情大受影响。

10 月之后，变化将会逐步稳定下来，那时你的心情也会明显好转，加上火星没有进一步破坏，一切应可安然度过。

三 2011年双鱼座“十大天机”尽泄

最有情的成功拍档	白羊座 狮子座 人马座
最具挑战的竞争对手	巨蟹座 天蝎座 双鱼座
最得力的星座贵人	双子座 天秤座 水瓶座
最失控的星座克星	金牛座 处女座 山羊座
最经常在你身边出现的人	白羊座 水瓶座
最易犯的禁忌	养猫狗、公园漫步、堆放杂物、入厨煮早餐
最行衰运的打扮	大红大紫、长发、背大布袋、胸前挂手提电话
最快转运方法	早上游泳、吃口香糖、搭地铁、搬家、每天向西走
最令你开窍的食物	猪脑、鸡蛋、鱼头、豆浆
最招财的饰物	宝石、白金、铜器、斑彩石（海螺化石）

四 双鱼座行运大公开

双鱼座注重生活细节

你不爱刻意修整面容和发型，双眼流露出柔和的眼神，有时给人心不在焉的感觉，受到困扰时会皱起眉头。你不注重生活细节，不会花时间研究打扮及衣着品位，却具有超越常人的灵感和创造力，因你是水象星座，你的表现温婉大方，富有同情心，没有咄咄逼人的气势，永远兴致勃勃地聆听对方的倾诉。

双鱼座愿意为爱奉献

你是愿意为爱奉献的人。你经常将情人偶像化，为了维系长期圆满的关系，你会想尽办法、不惜一切代价，令双方活于和谐欢乐的气氛中。有时你一厢情愿地自欺欺人，甚至因此受伤害，但你会坚持爱的奉献，因为你无论在感情上或经济上均追求完美的安全感。为了避免令对方受伤害，有时你也会说谎去瞒天过海，却因此给情人虚伪的感觉。

星座速配排行榜

名次	速配星座	速配率	速配指数
第1名	天蝎座	95%	友情：★★★★
			爱情：★★★★★
			婚姻：★★★★
第2名	巨蟹座	93%	友情：★★★★★
			爱情：★★★★★
			婚姻：★★★★
第3名	金牛座	92%	友情：★★★★
			爱情：★★★★
			婚姻：★★★★★

双鱼座的吉祥物

双鱼座的吉祥符号是仿如英文大写的 H 形，这象征着两条鱼儿连在一起。你喜欢清新纯朴的植物如白杨、桦树，爱吃栗子、竹笋，对瓜类食物情有独钟。

所有鱼形饰物，包括吊坠、耳环、鱼形摆设，均特别吸引双鱼座人。运动及爱好方面，旅游、钓鱼、舞蹈等最能表现你的广泛爱好。

双鱼座的口袋中一定有很多钥匙和不同类型的笔，行运的你特别喜欢研究药品，家中会放显微镜及地图。你喜欢住在水边，家中摆放特大和柔软的枕头及床褥，布料方面爱采用棉质或地毯，客厅会摆放油画及餐具作为装饰。

双鱼座跟“猪肖”有关？

将星座与中国的十二生肖联系到一起，发现双鱼座跟“猪肖”有共同特征！

猪人聪明，自我主义极浓，有自己的一套方式和想法，不会轻易融入别人中。

双鱼座本性善良，感情丰富，但过分自我，有时令别人难以理解。双鱼座有理想，不过只会热衷一段时间便满足地离场，很少坚持到底。跟猪肖一样，双鱼很懂得自我保护，不管所做是对是错，别人都要被迫接受，双鱼座却悠然自乐。

双鱼座喜欢清新纯朴的植物如白杨、桦树

五 2011年双鱼座每月运程

1月 有一个好的开始

本月重点运势

- 人际关系问题伤透脑筋
- 必须留意健康的变化
- 财富收入相当理想

踏入第一个月，之前所遇到的阻滞逐渐化解，一切向着好的方向进展。

月初，你为事业、人际的问题伤透脑筋，8日之后，金星率先进入“事业宫”，带来新的曙光。而水星在14日照亮“朋友宫”，贵人也来给你支持，使你对前景相当有信心。

但你必须知道，天王星在“本命宫”的逆转尚未结束，你要注意健康问题。某些事情发生，使你在性格、观点上出现改变，加上土星压着“生死宫”，因此你必须留意健康的变化。放松心情，是解决任何问题的第一步。

火星在下半月闯进“心灵宫”，你似乎尚有不少忧虑，幸好太阳及海王星均来帮一把，所以，其实无须杞人忧天，因为每次有困难出现，身边总有另一股力量同时出现，助你逢凶化吉！

23日后，木星守护“金钱宫”，意味着整个上半年，你的财富收入相当理想，使你非常开心。

双鱼座本月的好日子

1	2	3	4	5	6	7	8■	9■	10
11	12	13	14★	15★	16	17	18	19	20
21	22	23●	24●	25	26	27	28	29	30/31

♥ 爱情 ■ 事业 ▲ 健康 ● 财富 ✿ 家庭 ★ 人际

2月 不同势力在斗争

本月重点运势

- 心情起伏不定
- 遇到困难有贵人帮忙
- 金钱运不错

这个月的星宿全部落在星盘东方，你心中超过一种思维在互相斗争，使你有时显得相当矛盾，心情起伏不定。

太阳和水星照亮“心灵宫”，你是积极乐观的鱼儿，不过与此同时，火星也来破坏，可以看到，你还在犹豫和选择中。而金星转到“朋友宫”，带来重要启示，不论遇到任何困难，贵人是你手上的最大筹码！

20日后，太阳和水星到达“本命宫”，这是对你极重要的宫位，火星紧随而至，天王星也在宫内逆转，当四星互相碰撞，到底会发生什么事？

可能正负两种能量互相抵消，也有可能出现一些奇妙变化，无论如何，天机不可以算尽呀！

你唯一可以做的，是保持心情开朗，对自己有信心，多休息，多进修，令自己强大，才能不惧怕任何冲击。

星盘提示你，当遇到问题时，贵人和金钱，可以助你一臂之力。

双鱼座本月的好日子

1	2★	3★	4	5	6	7	8	9	10
11	12	13	14	15	16	17	18	19	20
21	22	23	24	25	26	27	28		

♥爱情 ■事业 ▲健康 ●财富 ✿家庭 ★人际

3月 对财富充满幻想

本月重点运势

- 对健康保持警觉
- 有伴侣给你支持
- 赚取今年的第一桶金
- 拥有更强大的实力和自信

你在这个月要继续保持警觉，火星整个月都在燃烧“本命宫”，对健康造成威胁。但随着天王星完成逆转，威胁会逐步解除，你的心情也明显好转过来。

月初，金星照耀“心灵宫”，过去的反复及不明朗逐渐消散，你对前景恢复信心，太阳及水星留在“本命宫”，为你的健康打气。因此，你是幸运的双鱼，无论在任何环境中，你都不是孤独的，身旁一定有伴侣给你支持。

10日，水星率先进入“金钱宫”，与木星及天王星交会，你对财富充满幻想和希望，努力地寻找发达方法和机会。

到了21日，当太阳也移到“金钱宫”，形成四星交会，财富将成为你的人生首要目标，你雄心勃勃，下决心把计划付诸行动，赚取今年的第一桶金。

当金星在28日进入“本命宫”，火星的破坏力便会消失，你拥有更强大的实力和自信，财富与你的距离越拉越近。假如你身体有任何毛病，这天之后，也会明显地好转过来。

双鱼座本月的好日子

1▲	2▲	3	4	5	6	7	8	9	10●
11●	12	13	14	15	16	17	18	19	20
21●	22	23	24	25	26	27	28▲	29	30/31

♥爱情 ■事业 ▲健康 ●财富 ✿家庭 ★人际

4月 为财富梦想奋斗

本月重点运势

- 金钱带来安全和满足感
- 财富消散得快
- 投资要小心

从星盘所见，你的思想完全被金钱占据，你不愧是务实的鱼儿，金钱可以带给你安全和满足感！

这个月，太阳、水星、火星、木星及天王星都齐集于“金钱宫”，而金星令“本命宫”充满自信光芒，你对自己感到十分满意。

到了22日，金星也赶来“金钱宫”凑热闹，这真是个罕见的场面。火星力拼五大行星，当你兴高采烈地接收财富，而火星却使你见财化水，你所赚的，很快又被花掉。

不过有机会花钱，也是一种幸福呀！

因此，尽情为你的财富梦想奋斗吧！与此同时，投资要小心，勿好大喜功，贪心反变贫，这浅显的道理，你一定要明白。

建议你赚取财富后，多做布施，便可应验破财一劫，这种方法，我也经常运用！

双鱼座本月的好日子

1●	2●	3●	4●	5	6	7	8	9	10
11	12	13	14	15	16●	17●	18●	19●	20●
21	22	23	24	25	26	27	28	29	30

♥爱情 ■事业 ▲健康 ●财富 ✿家庭 ★人际

5月 盼望向外发展

本月重点运势

- 为财富奔波
- 盼望建立人际网络
- 对手带来人际关系阻力

月初，水星、金星、火星、木星及天王星继续挤在“金钱宫”内，互相比拼，好不热闹，而你继续为财富奔波，化解难题。在这个过程中需要你有所付出，但能够换取成果，已经有交代了。

16日，水星及金星一起进入“沟通宫”，与太阳连成一线，这是影响对外关系的宫位，可以看到，你极切盼望加强对外发展，建立人际网络，令发展更上一层楼。

但你要小心，你的计算虽然精密，凡事总有意外，结果未必如你所料。火星从12日开始燃烧“沟通宫”，另一股力量正跟你对着干，你似乎低估对手的实力，令对方有机可乘！

这个月，你将全部心思放在人际及工作发展上，可惜有点吃力不讨好，星盘提示，其实一切只在于过程，结果并不重要。

既然找到目标，便努力向前冲吧！挫折是用来激励你更上进的，只要克服心理障碍，任何困难也不能阻挡你前进。

双鱼座本月的好日子

1	2★	3★	4	5	6	7	8	9	10
11	12	13	14	15	16★	17★	18	19	20
21	22	23	24	25	26	27	28	29	30/31

♥爱情 ■事业 ▲健康 ●财富 ✿家庭 ★人际

6月 寻找心灵安慰

本月重点运势

- 家人给你强大支持
- 有机会尝到爱情
- 本命星带来信心和支持

这个月，火星继续破坏“沟通宫”，而你从月初开始，便把心思放到家庭及爱情上。

已经拼搏了近半年，是时候放下名利争斗，寻找心灵上的安慰了。

在上半月，太阳、水星及金星齐集“家庭宫”，家人给你强大支持，使你更有信心面对人际的烦恼。好好珍惜这份温暖感觉，因为22日后，火星进入“家庭宫”，那时候，家人可能带来一些麻烦，令你把心思转到爱情上。

17日，水星率先闯进“恋爱宫”，带给你爱的感觉，22日，太阳也赶来，使你充满神采，活力无穷。

这是天赐的黄金机会，使你有机会尝到爱情。趁火星还未追来，把握机会碰碰运气吧！木星已经进入“沟通宫”，之前的问题解决，你从人际上得到满足和喜悦。

另外，你的本命星海王星已回归“本命宫”，虽然尚未稳定，但已带来信心和支持，使你变成越来越强大的双鱼！

双鱼座本月的好日子

1♥	2♥	3	4	5	6	7	8	9	10
11	12	13	14✿	15✿	16	17♥	18	19	20
21	22▲	23▲	24	25	26	27	28	29	30

♥爱情 ■事业 ▲健康 ●财富 ✿家庭 ★人际

7月 爱与不爱的纠结

本月重点运势

- 爱情目标已经出现
- 无法全情地投入恋爱
- 纠结在家庭事业的矛盾中

之前你渴望得到爱情，此刻机会已摆在眼前，但你看来并不在乎！

金星在5日进入“恋爱宫”，跟太阳互相呼应，明显地，爱情目标已经出现，让你唾手可得。

但水星揭破你的内心世界，占据你心灵的是工作，而不是爱情！

水星早已跑进“工作宫”，显示你把全部精神放在工作上，爱情并非心中的首选。

另外，火星燃烧“家庭宫”，家人可能给你一点压力，使你无法全情地投入恋爱。

因此，你一直纠结在家庭事业的矛盾中，对爱情并不热衷，24日后，当太阳和金星相继离开“恋爱宫”，你的爱情故事将暂时告一段落。

而你既要忙于应付工作，也要解决家人的矛盾，幸好木星及天王星一直给你相当好的人际及财富运，使你无论在任何环境中，都有能力应付困难和变化。

双鱼座本月的好日子

1	2	3	4	5♥	6♥	7	8	9■	10■
11	12	13	14	15	16	17	18	19	20
21	22	23	24●	25●	26	27	28	29	30/31

♥爱情 ■事业 ▲健康 ●财富 ✿家庭 ★人际

失败也是好开始

本月重点运势

- 事业、爱情都有麻烦
- 工作上将遇到不少阻力
- 容易感到焦虑不安
- 花尽心思去修补感情关系

这是一个相当糟糕的月份，事业、爱情都来找你的麻烦，使你心情大受影响！

其实你早已预知工作及爱情的烦恼，并努力地补救，但有些事情无法逃避。

从月初开始，火星破坏“恋爱宫”长达50天，过去你曾经尝到爱的甜蜜，现在是时候付出代价了！

9日，水星在“工作宫”逆转一个月，工作上将遇到不少阻力，使你心烦意乱，迫使你重新部署，重头再来。

另外，海王星也进入其长达半年的逆转周期，这段时间，你的情绪变化会较大，容易感到焦虑不安。

不过你是才智过人的双鱼，没有因挫折而气馁。从星盘看到，金星和太阳一直留守“工作宫”，你很努力地化解工作危机。到了22日，金星与太阳一起跑到“婚姻宫”，你又花尽心思去修补感情关系。

你果然是醒目的双鱼，你明白，只要肯付出，上天一定给你双倍回报！

双鱼座本月的好日子

1	2	3	4	5	6	7	8	9	10
11	12	13	14	15	16	17	18	19	20
21	22	23	24	25	26	27	28	29	30/31 ✿

♥爱情 ■事业 ▲健康 ●财富 ✿家庭 ★人际

9月 健康获得支持

本月重点运势

- 爱情带来强烈的喜悦和满足感
- 健康状况大大改善
- 突破工作困境

这个月，火星继续燃烧“恋爱宫”，你必须用尽一切方法维系婚姻关系。到了10日，当太阳、水星及金星在“婚姻宫”交会，强大的光芒令婚姻宫看去完美无缺，一切阴霾消散，爱情为你带来强烈的喜悦和满足感。火星的破坏力量马上给比下去，黯然离开“恋爱宫”。

16日，金星进入“生死宫”，这是影响健康的宫位，有金星来照亮，过去的怨气、闷气一扫而空，也减轻了海王星逆转造成的负面影响。

十天后，水星和太阳也加入同一阵线，“生死宫”变得十分强大，你的健康状况将会大大改善，假如过去有点小毛病，这时会得到改善。

但是可恶的火星溜到“工作宫”，不过身经百战的你早已看透敌人的伎俩，不会轻易中埋伏。

谨记，什么都是假，身体健康最重要，有健康的生命，才有资格继续参与这场星座游戏。

双鱼座本月的好日子

1	2	3	4	5	6	7	8	9♥✿	10♥✿
11	12	13	14	15	16▲	17	18	19	20
21	22	23	24	25	26▲	27▲	28▲	29▲	30▲

♥爱情 ■事业 ▲健康 ●财富 ✿家庭 ★人际

10月 变出新天地

本月重点运势

- 多出门旅游
- 变换工作或居住环境
- 做一些新鲜的事

这个月不要想太多，也不必做太多！

最好把事业、爱情通通放下，休息充电，多出门旅游，学习新事物，可以带来新的灵感。

火星整个月都留在“工作宫”，你的头脑有点不清醒，做多错多，奉劝你对工作别过分执著，以免自寻烦恼。

在上半月，太阳、水星和金星留在“生死宫”，这段时间，多调理身体，学习养生运动或静坐灵修，效果会特别显著！

下半月，三星转移到“旅游宫”，提示你，多出门，多创新变化，可以使你找到新突破！

除了出门远游，你还可以变换工作或居住环境，甚至改变一下生活习惯，做一些新鲜的事，或吃一些从来没吃过的食物，都可使你得到新的突破。

这个月尽量放松自己，你会碰到一些意外收获，使你喜出望外！

双鱼座本月的好日子

1	2	3	4	5	6	7	8	9	10
11	12	13	14	15	16	17	18	19	20
21	22	23	24	25	26	27	28	29	30/31

注：本月是运势过渡期，应积极寻找新突破。 ♥爱情 ■事业 ▲健康 ●财富 ✿家庭 ★人际

11月 事业到达高峰

本月重点运势

- 爱情失意
- 出差频繁
- 百分百地投入事业中

这是你发展最理想的月份，三星齐照“事业宫”，虽然爱情失意，事业却得心应手！

金星与水星进入“事业宫”，为你带来智慧、信心与财富，因此，你可以尽情发挥，心中有任何计划，都可以付诸行动。太阳留在“旅游宫”，显示你经常出门公干，积极向外发展会带来好消息。

23日，当太阳、水星及金星交会，将散发强大力量，使你的事业攀向更高峰。

不过，在感情方面，你跟伴侣的意见出现分歧，请留意这种情况，因为它将会持续8个月！火星燃烧“婚姻宫”，从现在开始直到明年7月才离开。

因此，有得必有失，事业上一帆风顺，爱情便要付出代价。你将所有心思放在工作上，家庭就难以兼顾，从星盘看到，爱情与事业之间，你选择了事业！

你百分百地投入事业中，为此而十分雀跃，视情爱如浮云！

从星盘找不到任何补救婚姻的助力，你对问题束手无策，或者根本对婚姻存在疑惑，不希望受婚姻束缚。

双鱼座本月的好日子

1	2	3	4	5	6	7	8	9	10
11	12	13	14	15	16■	17■	18	19	20
21	22■	23■	24■	25	26	27	28	29	30

♥ 爱情 ■ 事业 ▲ 健康 ● 财富 ✿ 家庭 ★ 人际

12月 出现完美组合

本月重点运势

- 事业蒸蒸日上
- 无暇理会感情
- 健康潜伏隐忧

你的事业蒸蒸日上，社交生活忙碌，贵人给你很大支持，使你感到相当满足！

这个月，金星进入“朋友宫”，同伴的助力使你如虎添翼，水星整个月都留在“事业宫”，你的思绪完全被工作占据，无暇理会感情，而太阳也支持事业，给你十足的活力，让你在事业上全力冲刺。

星盘上出现一个近乎完美的组合，你的自信非常强大，助力也很多，对外、对内均拥有雄厚基础，将整个大局控制于掌中。

唯一失控的是你的感情，你跟伴侣之间的矛盾还没有完全解决。海王星继续在“心灵宫”逆转，其实你的心里有点难受，但很快又被事业成功的喜悦掩盖。木星和天王星守护“沟通宫”及“金钱宫”，使你的事业发展全无后顾之忧。

然而你必须注意健康问题，土星一直压住“生死宫”，显示健康潜伏隐忧，加上本命星海王星逆转，健康成为你的头号敌人。星盘提示你，很多身体上的毛病都源自心理病，只要放开怀抱，减少争执和怨气，健康自然跟你做朋友。

双鱼座本月的好日子

1	2■	3★	4	5	6★	7	8★	9	10
11	12■	13■	14	15	16	17	18	19	20
21	22	23	24	25	26	27	28	29	30/31

♥爱情 ■事业 ▲健康 ●财富 ✿家庭 ★人际

白羊座

白羊座坦率热情，奋斗心强，有从一而终的坚毅斗志，富同情心，爱充当英雄，单纯而具孩子气，即使年纪大的白羊座，依然活力十足，喜欢新奇事物，是典型的“老顽童”星座！

太阳星座日期：3 月 21 日—4 月 20 日

宫主星：火星　　**阴阳性：**阳性

三方宫：火象星座

星座图腾：一只奔跑的公羊

黄道十二宫的位置：第一个星座

对应身体部位：头部、脸部、眼、耳、鼻、口等，也就是身体上最上端的位置

幸运颜色：红色、红白相间的颜色

幸运宝石：钻石、红宝石

最佳优点：天真单纯、勇于创新

最差缺点：行事莽撞、容易闯祸

适合职业：与运动有关的行业、特殊专业技术人员、交通运输业、旅游业、军事警察相关专业、金属、机械行业

一 白羊座男女

拥有过人的创造才华及天分

白羊座一生都背负着保卫家人的使命，不断向前冲刺，没有停下来的一天！

白羊座坦率热情，奋斗心强，有从一而终的坚毅斗志，富同情心，爱充当英雄，单纯而具孩子气。即使年纪大的白羊座，依然活力十足，喜欢新奇事物，是典型的“老顽童”星座！

触觉敏锐的白羊座反应十分快，身手敏捷，警觉性高，自我保护意识相当强，对伴侣及家人极其忠心，是家庭的中流砥柱；在工作上，是忠诚的拍档及下属，对金钱容易满足，不会轻易出卖朋友。白羊座一生都为理想而奋斗，责任感和使命感极强，往往凭借惊人的耐力和持久力获取成就，并得到大众认同。

爱情方面，热情的白羊座重视感觉，只要认定目标，便会全情投入，爱得相当冲动又感性，热情来得快，也去得快，贯彻其来去如风的急速个性。

事实上，酷爱新奇刺激的白羊座最怕呆板生活，不断寻找新鲜感，是相当前卫又富时代感的星座，最怕落后于别人，最不肯认“老”！

从 2011 年开始，天王星进入白羊座的宫位，停留达 8 年，天王星是掌管人类智慧的行星，具强大开创力量，代表从现在开始直至 2018 年，白羊座拥有一种过人的创造才华及天分，思维独树一帜，令人眼前一亮！

成龙

一贯敢为人先，做什么都要轰轰烈烈进行到底的成龙，有力地为我们证明，白羊座的座右铭：生命不息，奋斗不止！

徐静蕾

无论她们外表多么千娇百媚，都有一颗彪悍的内心，率真大胆不输男性，从小就立志不做淑女的大女人。

二 2011年白羊座全年运势

背后有强大支持

事业运

整体发展平稳，运势集中在年初

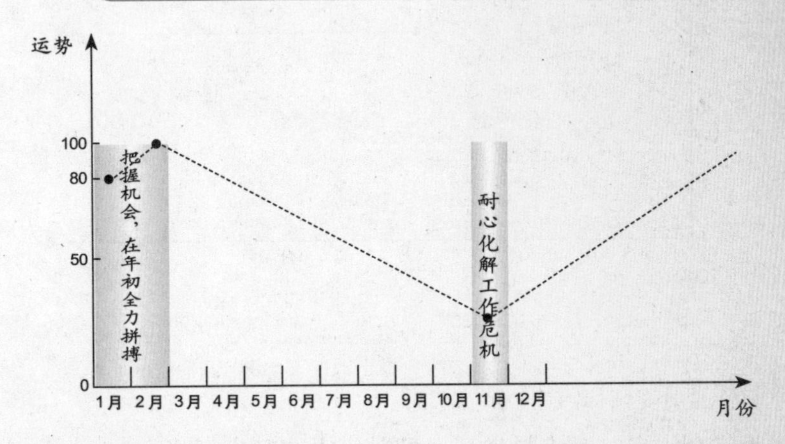

今年你要破解的烦恼相当多！无论事业、感情及家庭上，都有不少考验，使你忙于应付。不过相对其他星座，其实你已经胜人一筹！

因为你有智慧无敌的天王星支撑“本命宫”，又有带来喜事的木星进入“本命宫”及“金钱宫”，虽然行星逆转，心情受影响，但你有足够能力应付，很快便可以复原。

今年整体的发展尚算平稳，事业运集中在年初，“事业宫”很完整，没有遭受任何破坏，因此你可以把握机会，在年初全力拼搏。不过你要留意，到了年终 11 月，火星燃烧“工作宫”，长达八个月！因此你不能掉以轻心，除了耐心化解工作危机，也要注意身体健康，避免过于劳累，谨记收敛急躁脾气，以免劳气伤身。

在年终时，你拥有另一次事业反击机会，你积极地向外发展，找寻新的生存空间，但不能操之过急，这是漫长的奋斗过程，你要付出耐性，才可以获得成果。

财富源源不绝，但很快花掉

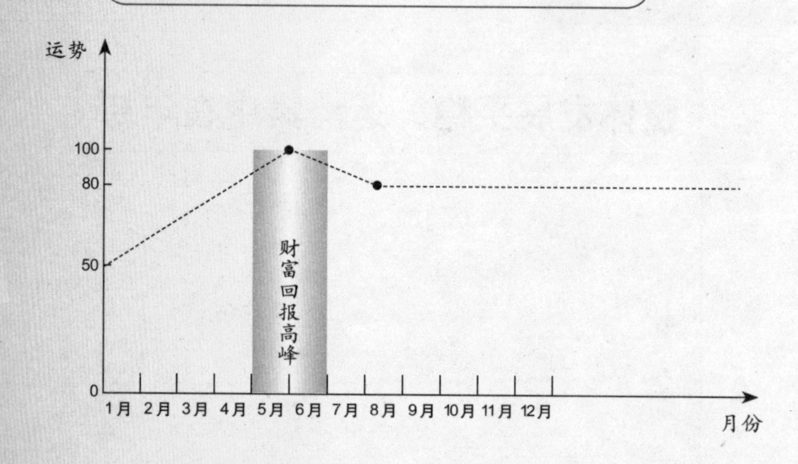

今年你要小心财政超支！

因为“金钱宫”遭火星破坏，见财化水的概率相当高！

从星盘所见，你的回报高峰期是5月和6月，金星和水星从5月16日开始照耀“金钱宫”，带给你源源不绝的财富。可惜在同一时间，火星已经将“金钱宫”燃烧起来，你所赚的，很快便会花掉！

因此，你要好好计划财政开支，事实上，性格冲动的你有时会一掷千金换来心情舒畅，对财富的观念远远不及双鱼及金牛！

不过你无须太担心，从6月开始，木星支撑“金钱宫”直至年终，虽然实际作用不算太大，但你将会找到另一种支持力量，舒缓财政的紧张压力。

不要奢望“免费”爱情

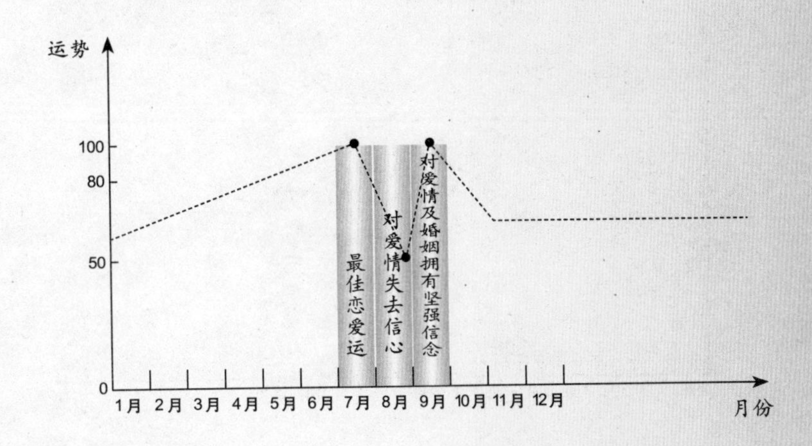

今年你有最佳恋爱运的日子，是7月3日至8月8日，9月16日至10月9日。

8月份，水星在“恋爱宫”逆转，这段时间，你对爱情失去信心，感到失望！家人也给你制造不少麻烦。

不过踏入9月中后期，金星、水星及太阳齐集“婚姻宫”，使你对爱情及婚姻拥有坚强信念，有能力对抗火星的破坏！

从9月20日开始，火星燃烧“恋爱宫”，一直到11月才结束。坚强的白羊要有心理准备，当你选择要获得爱情，同时也要为此而付出，不要奢望有“免费”爱情！

另外，由于海王星在“朋友宫”内逆转，将令人际关系面临考验。白羊座谨记用智慧解决一切问题，烦恼也于事无补！

健康运

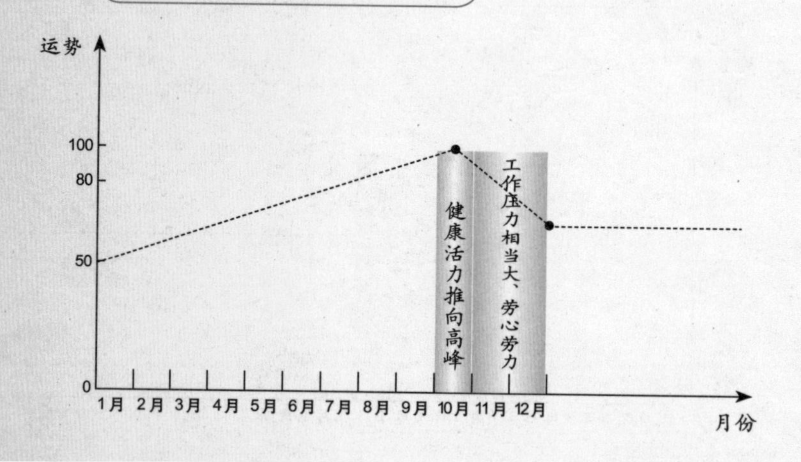

虽然你今年受了不少刺激，但从星盘所见，健康状态相当良好，“本命宫”十分壮大，至于“生死宫”更加丝毫无损。

这一年，天王星在“本命宫”内发出强大光芒，木星在上半年也给你强大支持，使你充满自信，神采飞扬。到了10月，金星、水星及太阳星在“生死宫”交会，将白羊座的健康活力推向更高峰。这段日子，你拥有满意的感情生活，经常出门远游，日子过得十分惬意。

全年最容易出毛病的是年终11月至12月，工作压力相当大，使你劳心劳力，要注意休息，量力而为，最重要是收敛脾气，避免与人争执。

三 2011年白羊座“十大天机”尽泄

最有情的成功拍档	巨蟹座　天蝎座　双鱼座
最具挑战的竞争对手	白羊座　狮子座　人马座
最得力的星座贵人	双子座　天秤座　水瓶座
最失控的星座克星	金牛座　处女座　山羊座
最经常在你身边出现的人	双鱼座　金牛座
最易犯的禁忌	吸烟、饮酒、吃辣、厨房开灯
最行衰运的打扮	穿花衣服衬绿裤子、留须、戴宽边眼镜、烫发
最快转运方法	起床饮三杯水、吃生鱼片、大厅放冰箱、去海岛旅行、每天向西北方走
最令你开窍的食物	猪肺、鱼头、奶酪、鸡蛋
最招财的饰物	钻石、银器、金项链、斑彩石（海螺化石）

四 白羊座行运大公开

白羊座充满活力

你的面容散发自信，给人正直感觉，你的身体很健康，充满活动能力，白羊座人最好不要肥胖，否则行动会缓慢，连思考也随之缓慢起来。你的步伐一般很快，下颔和两腮特别有力，会展现灿烂的笑容。你喜欢轻便服装，但给人潮流感觉，男女均舍得添置很昂贵和最流行的衣服，不论言行衣着，均流露着精力充沛，做事快人一步的作风。

白羊座的爱情来得快去得也快

你是火象星座，在十二星座中最热情，容易恋爱又容易失恋。你会向倾慕的对象采取猛烈攻势，被你爱的人感到非常幸福，但热情过后，你的冷淡容易坏破彼此的关系，你也要学习聆听伴侣的需要，否则容易被批评自私。其实很多白羊人是很好的丈夫和妻子，因为你会经常给对方惊喜，也会鼓励配偶发挥潜能，你的个性很独立，因此也会让配偶拥有充分的自由空间。

星座速配排行榜

名次	速配星座	速配率	速配指数
第1名	狮子座	95%	友情：★★★★
			爱情：★★★★★
			婚姻：★★★★
第2名	人马座	93%	友情：★★★★★
			爱情：★★★★★
			婚姻：★★★★
第3名	双子座	90%	友情：★★★★
			爱情：★★★★
			婚姻：★★★

白羊座的吉祥物

白羊座的吉祥符号是一对强而有力的羊角，这象征着公羊的威信与权力。色彩鲜艳的天竺葵、金雀花等最能表现你的热情。你喜欢味道较强烈的食物如洋葱、韭菜、蚬肉等，对薄荷味的食物情有独钟。

所有类型的金属摆设、钻石耳环、羊玩具，均特别吸引白羊座人。职业和爱好方面，很多运动员都是白羊座人，你喜欢汽车、工程和医学，尤其热衷于当牙医。

白羊座喜欢冒险和旅游，也爱登高和骑马，行运的你特别喜欢买扇子、手工艺品和古董饰物。你喜欢舒适而传统的家居布置，会亲自动手改装布局而且会配合潮流，鲜艳、温馨的颜色令你感到愉快。

白羊座跟“狗肖”有关？

在十二生肖中，白羊座跟“狗肖”是互通的！

狗人富孩子气和童真，对伴侣忠心耿耿，年纪越大越年轻有活力！

白羊座也拥有无穷活力，对待任何事情都会尽忠职守，竭尽所能。当成绩未如理想，会感到受委屈，易哭，表面刚强而内心脆弱。只要找到固定环境，白羊座会尽情发挥所长，当有所成就时，会感到十分满足！白羊座天性纯真而有活力，一般来说，是相当理想的工作伙伴及朋友。

金雀花最能表现白羊座的热情

五 2011年白羊座每月运程

1月 心有千千结

本月重点运势

- 工作相当忙碌
- 人际关系上遇到不少麻烦
- 烦恼相当多
- 劳心劳力的月份

在新一年的开始，工作会相当忙碌！金星落在“旅游宫”，而水星守在“事业宫”，你可能要经常出外公干，为事业花尽心思。

月初，水星在“旅游宫”内逆转，因此你不能掉以轻心，对外的发展变化十分大，使你感到无所适从。幸好8日后，金星给你带来强大助力，令一切逐渐稳定下来，使你可以专心把事业做得更出色。

而你最大的阻力来自火星与天王星。

火星燃烧“朋友宫”，使你在人际关系上遇到不少麻烦，虽然太阳也在宫内，给你活力和能量，但实际的助力十分有限。另外，天王星在“心灵宫”逆转，可以知道，你心中积压的烦恼相当多，心有千千结。

这的确是劳心劳力的月份，火星破坏“朋友宫”，使你失去贵人支持，孤军作战。幸好带来支撑的木星守护“心灵宫”，似乎在提示你，最大的支持其实源自你自己，一切都是你的心理在作怪而已！

白羊座本月的好日子

1	2	3	4	5	6	7	8■	9■	10■
11■	12■	13■	14	15	16	17	18	19	20
21	22	23	24	25	26	27	28	29	30/31

♥爱情 ■事业 ▲健康 ●财富 ✿家庭 ★人际

2月 开始有点糊涂

- **本月重点运势**
  - 陷入矛盾中
  - 朋友的助力减弱
  - 心理问题增多

踏入2月，你的思绪相当混乱，经常有正反两种不同思想在斗争，使你陷入矛盾中，感到左右为难。

火星继续破坏“朋友宫”，另一边，太阳、水星及海王星齐集于宫内，给予支持。因此，两种势力互相对峙，这里会爆发一场小战争，你有时感到敌我难分，是非莫辨，你为此而疲于奔命，朋友的助力也因此而大大减弱。

这段时间，金星一直留在“事业宫”，星盘提示你，其实只要努力工作，一切问题都可以迎刃而解，别再想太多，行动才是最实际的！

20日后，太阳和水星转到“心灵宫”，但情况可能更恶劣，因为火星燃烧“心灵宫”，天王星也在宫内逆转，你心中出现了四种不同的思想，这一刻，恐怕连你自己也开始糊涂起来！

因此，是时候赶走身边所有干扰势力了，想清楚自己真正想要的是什么，全力向理想进发，把无谓的人际全部放下，真正地站起来，做一头威武的白羊！

白羊座本月的好日子

1	2	3	4	5	6	7	8	9	10
11	12	13	14	15■	16■	17	18	19	20
21	22	23	24	25	26	27	28		

♥爱情 ■事业 ▲健康 ●财富 ✿家庭 ★人际

众人都赶来支持

本月重点运势

- 健康状态相当好
- 众人给你支持
- 自信还未百分百恢复

这个月，星宿逐渐移到属于你自己的东方，“本命宫”开始膨胀起来，你的健康状态相当良好，精力充沛，自信心十分强大，是时候清醒一下头脑，策划未来发展大计了。

其实木星一直守护白羊的“本命宫”，10日，水星率先为“本命宫”打气，然后天王星及太阳也加入。可以看到，你身边的助力十分强大，众人都赶来给你支持！

此时，“朋友宫”被金星照得非常明亮，因此你可放下心头大石，你的“本命宫”与“朋友宫”位都非常壮大，显示你有足够能力向前更进一步，一切在于你的一念之间！

火星整个月都留在“心灵宫”，你的自信看来还未百分百恢复，经历之前的混乱，你对于忠奸、敌友还有点疑惑。从星盘所见，其实你身边根本找不到任何阻力，所有星宿都来成就你，唯一跟你过不去的，是你自己的心！

勇敢的白羊，是时候向前冲刺了，成功就在眼前！

白羊座本月的好日子

1▲	2▲	3	4	5	6	7	8	9	10✿★
11★	12★	13	14	15	16	17	18	19	20
21	22	23	24	25	26	27	28	29	30/31

♥爱情 ■事业 ▲健康 ●财富 ✿家庭 ★人际

4月 占尽优势的日子

本月重点运势

- 心情明显好转
- 身边支持你的人很多
- 注意健康
- 提防暗涌和暗箭

这个月，你的心情明显好转，全力投入拼搏中。

金星已经进入“心灵宫”，你对眼前的形势感到相当满意，太阳、水星、木星、天王星连成一线，令“本命宫”前所未有地强大，可以看到，身边支持你的人真的很多呀！

不过世事不会一面倒，当支持你的人越来越多，便难免有反对声音，你要有心理准备。

因此，当火星跑到“本命宫”，跟你对着干的时候，不要大惊小怪，更不必担心！敌人出现，是来成就你攀得更高，何况目前你占尽优势，火星虽然带来破坏，但整体上已无法操控大局。

这一刻，你是充满自信的白羊，好好为理想而奋斗吧！不过受火星影响，你要多注意健康，小心意外，也要提防暗涌和暗箭，不要轻敌，这样才能保持常胜。

白羊座本月的好日子

1	2■	3■	4	5	6	7	8	9	10
11	12	13	14★	15★	16	17✿	18✿	19	20
21	22	23	24	25	26■	27■	28	29	30

♥爱情 ■事业 ▲健康 ●财富 ✿家庭 ★人际

5月 抓不紧的财富

本月重点运势

- 获得强大支持力
- 努力获得回报
- 感情仍然空白

持续上月的好运，你获得强大支持力，财富也随之而来。

水星、金星、木星及天王星继续守护“本命宫”，你仍然是自信爆棚的白羊，虽然火星偶尔给你麻烦，但你有足够能力应付。

到了16日，水星与金星一起走进“金钱宫”，与太阳连成一线，放射出强大光芒，你已经努力多时，是时候收取应得的回报了。

然而你总是欠了一点运！

火星早于12日捷足先登，闯进“金钱宫”，因此，你所赚的财富，很快又莫名其妙地花掉，财富跟你的性格一样，来去如风，抓不紧，留不住！

但曾经拥有，已经幸福，财富只是一个数字。

可以看到，虽然财政支出很大，但丝毫没动摇你的信念，你仍然昂首阔步，向前冲锋陷阵，不断扩张势力。

真正受影响的其实是你的感情生活，为了工作，你的感情至今仍然交白卷，找不到任何涟漪！

白羊座本月的好日子

1	2	3	4	5	6	7	8	9	10
11	12	13	14	15	16●	17●	18	19	20
21	22	23	24	25	26	27	28	29	30

♥爱情 ■事业 ▲健康 ●财富 ✿家庭 ★人际

6月 发展外交世界

本月重点运势

- 强劲的社交运
- 投资也要谨慎
- 有贵人相助
- 亲情给你最真挚的支持

这个月你有强劲的社交运，但小心财政出现超支！

太阳和水星早已转到“沟通宫”，助你打通对外关系，10日，金星也赶到，令“沟通宫”变得通透明亮，你拥有强烈的对外发展的心愿，八面玲珑，社交生活非常忙碌。

但与此同时，火星不断焚烧“金钱宫”，你必须戒除奢侈、夸大的坏习惯，量入为出，投资也要谨慎，勿好大喜功。幸好木星从本月起守护“金钱宫”，意味着你的背后有贵人撑腰，一切有惊无险。

本月中后期，水星和太阳进驻“家庭宫”，家人给你鼓励和支持，使你有勇气奋斗下去。你要好好珍惜，因为22日之后，火星便会破坏“沟通宫”，那时候，外交的阻力增加，使你分不清敌友，你会发现，只有亲情给你最真挚的支持，令你有勇气面对任何挑战。

因此，尽管人际磨擦越来越多，星盘提示你，家人可助你驱走一切烦恼！

白羊座本月的好日子

1	2	3	4	5	6	7	8	9	10★
11★	12	13	14	15✿	16✿	17	18	19	20
21	22	23	24	25	26	27	28	29	30

♥ 爱情 ■ 事业 ▲ 健康 ● 财富 ✿ 家庭 ★ 人际

7月 陶醉在温情之中

本月重点运势

- 人际关系感到失望
- 陶醉在家庭生活中
- 恋爱运稍纵即逝

火星整个月都在猛烈燃烧“沟通宫”，你的社交梦破灭，对人际关系感到失望，而把全副精神放在家庭及爱情上。

月初，金星照亮“家庭宫”，与太阳互相辉映，而水星落入“恋爱宫”，整个月，你陶醉在与家人和爱人的相处中，把事业抛诸脑后。

假如你是未婚白羊，好好珍惜本月的恋爱机会，因为机会一闪而过，好运不会滞留得太久！

如你是已婚白羊，更要尽情享受本月的天伦之乐，过去你为事业已花了很多心思，是时候为爱人、亲人动一点脑筋了。

而你最好有点心理准备，平静的日子很快便会过去，因为你是习惯了奔驰的白羊，喜欢忙碌、高调、夸张的生活。

事实上，一生都在追求新鲜刺激的你，对于平淡的家庭生活很快便会感到厌倦！

白羊座本月的好日子

1✿	2✿	3♥	4♥	5	6	7	8	9	10
11	12	13	14	15	16✿	17✿	18	19	20
21	22	23	24	25	26♥	27♥	28	29	30/31

♥ 爱情 ■ 事业 ▲ 健康 ● 财富 ✿ 家庭 ★ 人际

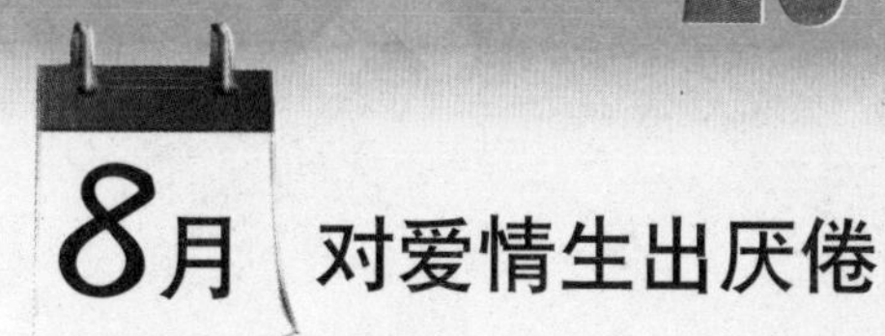

8月 对爱情生出厌倦

本月重点运势

- 全情投入恋爱中
- 独自面对爱情和工作的烦恼
- 友情危机

这个月，你很努力地全情投入恋爱中，可惜水星出卖了你的内心世界！

从9日开始，水星在“恋爱宫”逆转，反映了爱情不但无法带来甜蜜，甚至产生反效果，使你感到相当痛苦沮丧，对爱情生出厌倦！

金星正在照耀“恋爱宫”，太阳也会给你爱的支持，明显地，你用尽一切方法补救爱的矛盾，然而从星盘看到，你很快便宣布投降了！

22日后，金星及太阳相继离开“恋爱宫”，你马上放下爱的包袱，全情投入工作，说到底，你是喜欢拼搏的白羊，若爱情与事业只能选择其一，你必定会选择事业！

而火星整个月都留在“家庭宫”，虽然过去家人曾给你支持，但这一刻，当面临工作与爱情的烦恼，家人却越帮越忙，使你烦上加烦！

另外，海王星在本月出现逆转，使你的朋友运出现问题。

星盘提示你，别再想太多了，只要努力工作，便能化解所有难题！

白羊座本月的好日子

1♥	2	3	4	5	6	7	8	9	10
11	12	13	14	15	16	17	18	19	20
21	22■	23■	24	25	26	27■	28■	29	30/31

♥爱情 ■事业 ▲健康 ●财富 ✿家庭 ★人际

9月 拼命修补关系

本月重点运势

- 忙得团团转
- 友情出现问题
- 家庭、爱情方面均遇到不少阻力

这个月，你不断“头痛医头，脚痛医脚”，忙得团团转！

受海王星影响，小心朋友关系将出现较大的变化，使你一时间难以适应。火星燃烧“家庭宫”，继而转到“恋爱宫”，你在家庭、爱情方面均遇到不少阻力，令心情大受影响。

从星盘看到，你正在努力地挽救危机。

月初，水星继续于“恋爱宫”逆转，10日后，当水星在“工作宫”内跟金星及太阳会合时，你拼尽全力投入工作中，借此平衡人际关系上的失控。

16日，金星、水星及太阳携手转到“婚姻宫”，化解家庭、爱情带来的负面影响。

因此，凡事只要有决心，一定可以解决难题。当三星处于同一阵线时，强大的光芒令火星也要投降！

事实上，白羊座天性重视家庭，当家庭及婚姻受到威胁时，会不惜任何代价保护。要白羊座牺牲家庭，这是不可能的！

白羊座本月的好日子

1	2	3	4	5	6	7	8	9	10■
11	12	13	14	15	16♥✿	17	18	19	20
21	22	23	24	25	26	27✿	28	29	30

♥爱情 ■事业 ▲健康 ●财富 ✿家庭 ★人际

10月 不断自我增强

本月重点运势

- 承受爱情婚姻的压力
- 特别关心健康

这是一个相当特别的月份，你努力地巩固婚姻，并花大量精力调理身体健康，其他事情已经不再重要。

火星仍然猛烈地焚烧“恋爱宫”，而土星全年都压住“婚姻宫”，整个月你都承受爱情婚姻的压力。

另外，金星、水星及太阳并肩守护“婚姻宫”，跟火星及土星抗衡。而明显地，你一直都占了上风。你也因此明白，白羊座是天生的战斗性格，一生要不断战斗才会有好运！

10日后，金星率先跑到“生死宫”，水星及太阳也紧随而至，这段时间，你会特别关心健康，任何跟健康有关的运动或食疗，你都十分感兴趣。而你也正好利用这些日子休息充电，将人际及感情烦恼暂时放下，令自己变成更强大的白羊。

可以看到，你比任何人更关心自己的健康，因为白羊座的成功感与英雄感很大部分来自健康！

白羊座本月的好日子

1	2	3	4	5✿	6✿	7	8	9	10
11	12	13	14	15	16	17	18	19	20
21	22	23	24	25	26	27▲	28▲	29	30/31

♥爱情 ■事业 ▲健康 ●财富 ✿家庭 ★人际

11月 从旅游中找到新兴趣

本月重点运势

- 找寻新的事物
- 工作转向新目标
- 经常出远门
- 朋友带来助力

这个月，行星移到星盘上方，你十分渴望放眼世界，开辟新天地。

金星与水星照耀“旅游宫”，你对眼前的人和事已提不起兴趣，希望到远方发展，找寻新的事物。

火星仍留在“恋爱宫”，伴侣的投诉已经毫无新意。12日，火星转到“工作宫”，发展遇到阻力，迫使你迅速将注意力转移到新目标，放弃旧有的一套东西，在新基础上重新再来！

23日，当太阳在“旅游宫”内跟金星、水星会合时，你将获得重大启发，你经常出门远游，有很多新思维，这一切使你看上去与众不同，散发独特气质。

好好利用这段时间装备自己，到了27日，金星进入“事业宫”，那时候，你可以将计划付诸行动。

不过，你要知道，火星罕有地猛烈焚烧“工作宫”，意味着你要赢取成功，一点也不容易！你还要分外小心身体，避免工作过于劳累。海王星的逆转尚未结束，朋友带来的助力十分有限。

白羊座本月的好日子

1	2	3★	4	5	6	7	8■	9■	10
11	12	13	14	15	16	17	18	19	20
21	22	23	24	25	26	27■	28	29	30

♥爱情 ■事业 ▲健康 ●财富 ✿家庭 ★人际

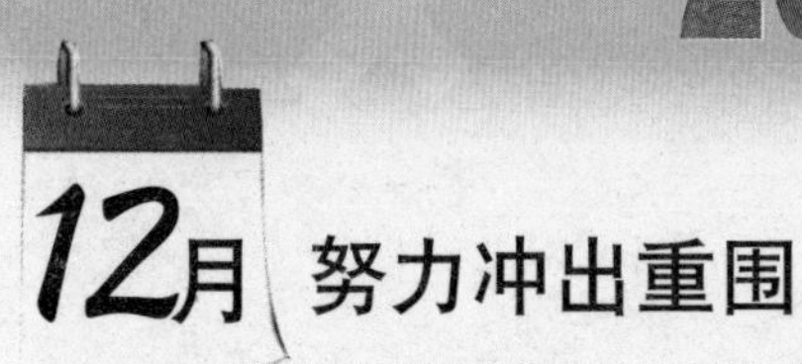

12月 努力冲出重围

本月重点运势

- 在变化中努力打开困局
- 工作上的阻力增强
- 事业发展未如所愿

来到年终最后一个月，你拼命地不断变化，不断思索新灵感，努力打开困局，冲出重围！

这个月，金星支撑着“事业宫”，而水星和太阳为“旅游宫”带来很多新灵感和动力。这是一个相当完美的配搭，你拥有很强的实力，可以随心所欲地发展心中理想。

可是，火星正在“工作宫”内启动其漫长燃烧期，一直到明年 7 月才熄灭！

这是一个不容易应付的关口，这段过程中会遇到很多障碍，需要漫长的忍耐和毅力才可以化解。幸好你是坚毅的白羊，对抗力越大，越激发你不屈不挠地勇往直前。

而你也要做好心理准备，这一年的事业发展，未必真的如你所愿！

人生得失本是平常！一如我曾经所说，白羊座必须在角力中才可以出人头地，养尊处优的白羊，成就反而较逊色。

因此，切勿怀疑自己的能力，提起勇气面对考验，一切都是上天给你的奖赏！

白羊座本月的好日子

1	2	3■	4	5■	6	7	8	9	10
11	12	13■	14■	15	16	17	18	19	20
21	22	23	24	25	26	27	28	29	30/31

♥爱情 ■事业 ▲健康 ●财富 ✿家庭 ★人际

金牛座

金牛座是典型的富贵星座，对物质生活有一种锲而不舍的追求，最懂得享受人生，喜欢社交生活，对自己充满信心，永远给自己一百分。

太阳星座日期：4 月 21 日—5 月 21 日

宫主星：金星　　阴阳性：阴性

三方宫：土象星座

星座图腾：牛的头部

黄道十二宫的位置：第二个星座

对应身体部位：颈部、喉咙、呼吸道

幸运颜色：粉红色

幸运宝石：翡翠、玉

最佳优点：忍耐力高，吃得苦中苦

最差缺点：贪图享受，固执己见

适合职业：金融、保险、证券业/与音乐有关的行业/珠宝、古董业/家具、装潢设计/美食、餐饮、旅馆业/造型、设计/农业

一 金牛座男女

锲而不舍的财富追求者

金牛座顾名思义，仿如一头用真金铸造的牛，不论任何情况下，都稳如泰山，屹立不倒，而且时时散发金光闪闪的吸引力，令人注目。

金牛座是典型的富贵星座，对物质生活有一种锲而不舍的追求，最懂得享受人生，喜欢社交生活，对自己充满信心，永远给自己一百分。

十二星座中，金牛座称得上是最幸运的星座，经常爱情与事业兼得，付出少，收获多。事实上，金牛座不爱下苦功拼搏，也不大热衷名利，个性率直，但往往凭借其独特气质及超强自信，赢取成就与掌声。

金牛座重视物质，也重视家庭，更加注意外表，典型的金牛座很讲究衣着打扮，对潮流趋之若鹜，也特别喜欢美食，对食物相当有研究。金牛座不论男女都是社交能手，最懂得讨异性欢心，重情重义，女性金牛座也相当有男子气概，爽朗豪迈，做事绝不拖泥带水。

天性乐观的金牛座永远朝着好的一方去思考人生，绝少悲观情绪，金牛座若犯错，会替自己找借口，并装作若无其事。金牛座永远认为自己是对的！

而无论环境怎样变，金牛座都有一套自我调节方法，不容易受外界影响，金牛座与生俱来有一种独特的过人自信，懂得驾驭环境，而不会屈服于任何环境之下。这是金牛座能够经常“行运”的真正原因！

王力宏

安全感在金牛座男人身上得到了体验，令人有一种可以依靠的印象，绝对要求自己是优质的完美的。

乌玛瑟曼

金牛女性往往都长得较为美丽性感，对待工作认真，对待家庭认真，对待爱情更加认真。

二 2011年金牛座运势

充满自信神采

工作压力较大，有机会反败为胜

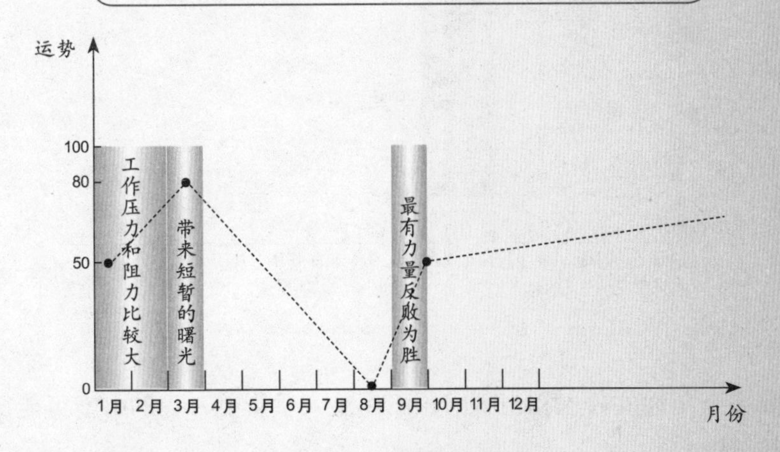

你的运气算是不错吧，虽然事业受海王星影响，带来压力和变化，不过天王星和木星全年照亮“心灵宫”，也支撑着“本命宫”，无论遇到任何困难，你依然是自信爆棚的金牛，懒得理会别人的看法。

今年事业上遇到海王星逆行，加上土星全年压迫着“工作宫”，工作压力和阻力比较大，很多时候你兜兜转转，找不到满意的方向和目标。

特别在8月份，变化会较急剧。幸好火星除了1月和2月影响事业宫外，并没有进一步破坏。因此，其实情况并不算太坏，就看你能否把握住机会。

3月份，金星照耀“事业宫”，带来短暂的曙光，不过很快又沉寂下来。

到了9月，太阳、水星和金星在“工作宫”交会，发出强大能量，那时候，你将最有力量反败为胜！

其实你在10月份可以乘胜追击，不过你将心思都放在家庭和爱情上，事业对于你，其实并非最重要！

收入不俗，财富如过眼云烟

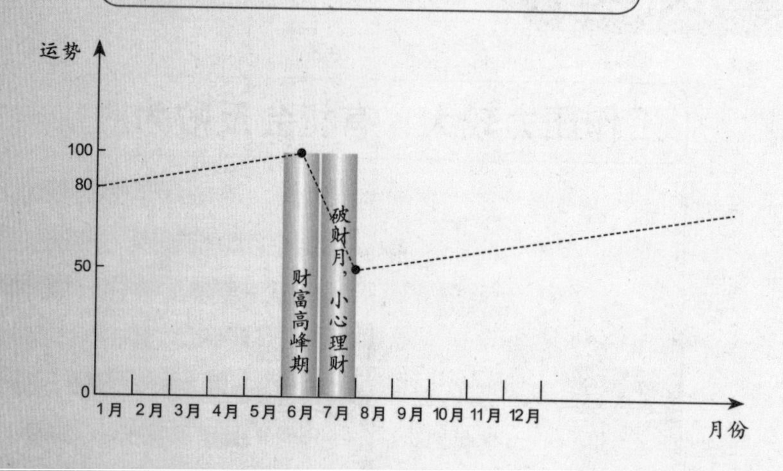

其实今年你的收入相当不俗，不过受火星影响，你的财富可能很快变成过眼云烟！

今年财富运的高峰期是 6 月份，金星、水星和太阳在“金钱宫”内连成一线，将为你带来可观收入。

然而你必须量入为出，因为到了 7 月，“金钱宫”遭火星破坏，有机会把你所赚回来的，花掉一大半！因此你要留意，7 月是破财月，这个月要小心理财，尤其交朋友要小心，一切金钱交易都要特别谨慎。

爱情运不错，偶尔会有烦恼

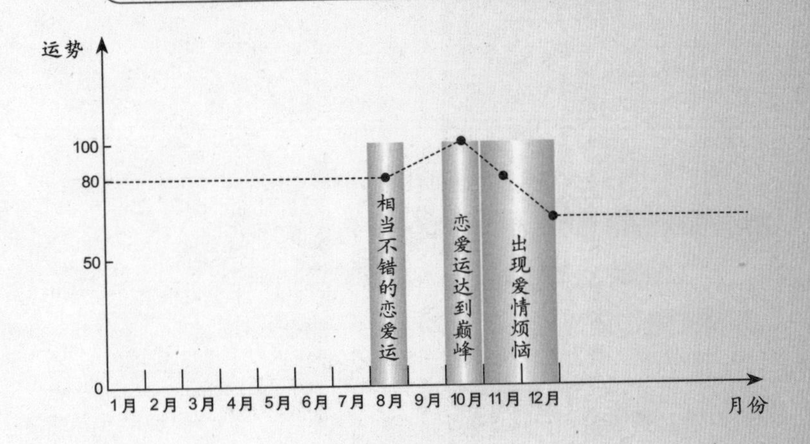

在感情发展方面，今年星盘上的破坏力量不算太多，特别是“婚姻宫”十分完整，没有任何破损，金牛座继续魅力四射，青春有活力。

从8月开始，你有相当不错的恋爱运，到了10月，当太阳、水星及金星在“婚姻宫”交会发出光芒，你的爱情运达到巅峰。

不过牛金座也要注意，8月份水星逆转，影响家庭宫，小心父母、兄弟或子女出问题。上半年，朋友也会带来一些麻烦，令你伤脑筋。

到了11月和12月，火星燃烧“恋爱宫”，可能要你花一点心思去化解爱情的烦恼。

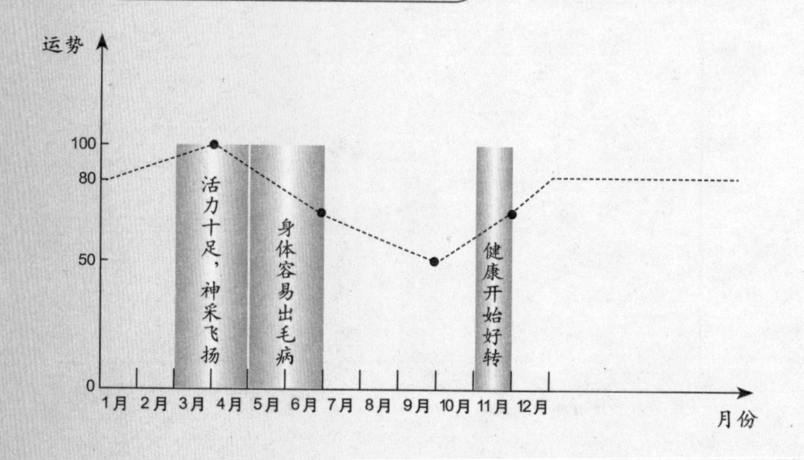

获天王星及木星两大吉曜进驻“心灵宫”及“本命宫”，今年你的心情特别开朗，整个人也变得特别有魅力。可以继续吃喝玩乐，享受人生！

全年整体的健康状态相当稳定，特别是从3月到5月，星盘上所有星宿几乎全落于金牛座的方位，这段时间，你的自信超级膨胀，活力十足，神采飞扬。

到了11月，金星、水星及太阳在“生死宫”连成一线，若过去身体有任何毛病，这时会获得更有效地治疗，身体明显好转。

唯一要小心5月和6月，头脑比较不清醒，容易发脾气及做错事。

三 2011年金牛座“十大天机”尽泄

最有情的成功拍档	双子座　水瓶座　天秤座
最具挑战的竞争对手	金牛座　处女座　山羊座
最得力的星座贵人	白羊座　狮子座　人马座
最失控的星座克星	巨蟹座　天蝎座　双鱼座
最经常在你身边出现的人	白羊座　双子座
最易犯的禁忌	驾红跑车、养狗、吃羊肉、日光浴
最行衰运的打扮	穿红内衣、戴夸张饰物、袋中放打火机
最快转运方法	养鱼、挂大笨钟、戴金表、泛舟游玩、北上
最令你开窍的食物	牛肉、鱼、蛇羹、猪肺
最招财的饰物	钻石、黄金、铜器、斑彩石（海螺化石）

四 金牛座行运大公开

金牛座极具风采和魅力

你的外表出众，极具风采和魅力。金牛座是土象星座，身形较壮硕，不论男女均肩宽、脖子短，显现如牛一般很有力量的感觉。你的毛发较浓密，目光柔和，下巴不突出，当略肥胖时，很容易出现双下巴。你喜欢较传统的衣着，有时给人落伍感觉，但你的声音迷人，个性热情，极易引起别人注目。你做事不匆忙，会气定神闲地完成工作。

金牛座追求感情上的安全感

受金星影响，你拥有浪漫而多姿多彩的爱情运，恋爱中金牛座会尽全力显现自己的优点，追求感情上的安全感，要求对方如你一般百分百地投入，缺点是占有欲太强，有时令对方吃不消。

你对情人十分慷慨，喜欢送礼，借此换取恒久关系，因为你对物质非常重视。普遍地金牛座对生育不热衷，即使金牛女母性也不强烈，但你绝对是一个好情人，对伴侣呵护备至，令彼此间能拥有欢乐和爱情。

星座速配排行榜

名次	速配星座	速配率	速配指数
第1名	处女座	95%	友情：★★★★
			爱情：★★★★★
			婚姻：★★★★
第2名	山羊座	93%	友情：★★★★★
			爱情：★★★★★
			婚姻：★★★★
第3名	双鱼座	92%	友情：★★★★
			爱情：★★★★
			婚姻：★★★★★

金牛座的吉祥物

金牛座的吉祥符是一个圆形再加一个半圆，这象征金牛的牛角，发出力量与拥有的讯息。玫瑰花最能代表你的浪漫热情，你爱吃苹果、葡萄和梨，对香料情有独钟。

你对瓷砖特别深情，各类铜器、牛形饰物、胸针，也能吸引你的注意。职业方面，美容、酒水业、设计、艺术和手工艺，都很适合具组织力和赚钱能力的金牛座。

工作之余，你喜欢旅行和种花，行运的你特别喜欢到园艺街挑选心爱的盆栽，女性甚至会学烹饪和刺绣。在各类运动中，你较喜欢保龄球。金牛座喜欢传统温馨的家居布置，家中会放一瓶色彩鲜艳的插花，也一定有高品质的音响设施，以满足爱享受的金牛座人。

金牛座跟“鸡肖”有关？

配合十二生肖，会发现金牛跟“鸡肖”是互通的！

鸡人有坚强意志力，拥有一股过人的忠贞及热诚，属鸡的女性喜欢打扮，属鸡的男性追求独特品位，无论在任何环境中，鸡人总有一套方法自得其乐。

金牛座是天生好命的星座，擅长将平淡的人生变得多姿多彩，金牛座其实不热衷工作，喜欢照顾家庭多于事业，对事业没野心，不过财来自有方，令人羡慕和佩服。

玫瑰花最能代表金牛座的浪漫热情

五 2011年金牛座每月运程

1月 模糊不清的日子

本月重点运势

- 担心工作和事业
- 身边的助力十分有限
- 思绪还未稳定下来

踏入第一个月，变化和冲击相当大，你感到有点迷失，无所适从！

水星逆转的余波在本月持续，对你的健康或多或少造成影响。而你最担心的是你的工作和事业。

火星在1月和2月一直破坏“事业宫”，使你一开始便感到相当吃力。金星留在“生死宫”，而水星落在“旅游宫”，看来你仍在探索阶段，思绪还未稳定下来。

从星盘所见，身边的助力十分有限，天王星在“朋友宫”内逆转，使你更加势单力薄。土星又压住“工作宫”，星盘提示你，与其力拼，不如先看清楚形势再作打算。

这是模糊不清的月份，与其做多错多，不如多休息，多进修，充实自己，也可到外地走一走，集思广益，对未来发展更有帮助。

金牛座本月的好日子

1	2	3	4	5	6	7	8	9	10
11	12	13	14	15✿	16	17	18	19	20
21	22	23	24	25	26	27	28	29	30/31

注：本月运势平平，应不断充实自己。　♥爱情 ■事业 ▲健康 ●财富 ✿家庭 ★人际

2月 成功尚未来到

本月重点运势

- 不断犯错
- 积极发展人际关系
- 计划落空
- 享受旅游乐趣

你心中所想跟真正的情况还有一段距离呀！

虽然你才智过人，但人总会犯错，未必每次都神机妙算。

从星盘看到，你花很多心思在事业发展上，也很积极地发展人际关系，但火星要你明白，一切只是你的梦想，距离成功还差很远呢！

金星一直停留在“旅游宫”，其实你真正能够做的并不多，尽管你计划了很多，为此付出很多心力，不过到最后，一切只是你一厢情愿而已。

火星一直破坏“事业宫”及“朋友宫”，加上天王星又在宫内逆转，奉劝你暂时别在这两方面抱太大希望。这段时间继续享受你的旅游乐吧！

而你不用灰心，这世界有变化才有进步，先决条件是你要放下原来的束缚，让自己松弛下来。

然后尝试向更多面发展，多创新，多找新趣味，从一个崭新的角度去重新思维，也许会有意外收获！

金牛座本月的好日子

1	2	3	4	5	6	7	8	9	10
11	12	13	14✿	15	16	17	18	19	20
21	22	23	24	25	26	27	28		

注：本月运势平平，需转变思维。

♥爱情 ■事业 ▲健康 ●财富 ✿家庭 ★人际

3月 乐透的金牛

本月重点运势

- 努力渐见成绩
- 心情超好
- 人际关系出现不少问题
- 自信再度活跃起来

这个月你吸取教训，明显地进步了！

金星把“事业宫”照得很明亮，你的努力渐见成绩，使你十分雀跃。

水星和木星令“心灵宫”看上去十分完美，21日，当天王星及太阳也加入，四星在宫内交会成一线，“心灵宫”散发强大光芒，你真是乐透的金牛！

火星继续燃烧“朋友宫”，使你的人际关系出现不少问题，但天王星已完成逆转，负面因素解除，加上太阳也助你解围，尽管贵人仍未出现，但跟你过不去的人已经明显减少。

你的超强自信，此刻再度活跃起来。

从星盘可以看到，你的确是天生乐观的金牛，最懂得在生活中寻找乐趣，小小收获，已令你开心半天！无论面对任何逆境，你很快就爬起来，若无其事地面对明天，这正是你的成功秘诀。

好运其实由人去创造。

金牛座本月的好日子

1	2	3	4	5	6	7	8	9	10
11	12	13	14	15	16	17	18	19	20
21▲	22▲	23	24	25	26	27	28	29	30/31

♥爱情 ■事业 ▲健康 ●财富 ✿家庭 ★人际

4月 自信急速增长

本月重点运势

- 完满解决人际问题
- 贵人更带来强大助力
- 心中洋溢无尽喜悦

一直困扰你的人际问题，本月不但完满解决，贵人更带来强大助力，使你的声势更浩大，自信急速增长！

这个月，金星带来强大的人际及贵人运，之前的阻力消除，你的表现获大众认同，心中洋溢无尽喜悦。

你究竟有多开心呢？星盘上几于所有星宿齐集在“心灵宫”，发出前所未有的强大光芒，太阳、水星、木星、天王星跟火星在宫内互相碰撞。22日，金星也赶赴这个热闹的宴会，此刻，你的心灵极度膨胀，不过，小心有点近乎自大呀！

火星不断在群星中穿插制造破坏，要你明白，虽然大部分都是你的贵人，当中也难免有小人暗中破坏，人生本来就是这样。

因此，当你好运的时候，也要谨记收敛过露锋芒，人生没有永远的好运。过分地意气风发，很多时候正是金牛座的致命伤！

金牛座本月的好日子

1★	2★	3★	4★	5	6	7	8	9	10
11	12	13	14	15	16	17	18	19	20
21	22▲	23▲	24	25	26✿	27	28	29	30

♥爱情 ■事业 ▲健康 ●财富 ✿家庭 ★人际

眼中只看见自己

本月重点运势

- 操控整个局势
- 竞争对手力量强劲
- 表面风光背后埋藏暗涌
- 友情有波动

这个月，你被主观情绪完全控制，你的眼中只看见自己！

星盘上所有星宿全部落在自己的正东方，你感到整个局势由你操控。

月初，众星继续守护“心灵宫”，月中后期转移到“本命宫”，强大自信使你心中充满理想与计划，木星及天王星留在“心灵宫”，你是快乐无忧的金牛，享受上天赐予的福气。

不过，成功当然也要付出代价，火星跟你的步伐很贴近，敌人其实一直虎视眈眈，你稍一松懈，便会让对手有机可乘，捷足先登。

要真正成功，除了靠自信，还需要很多因素配合呀！从星盘看到，其实你的想法多于行动，虽然活得很快乐，却没有真正下苦功去钻研。

因此，你千万不要轻率大意，表面风光的背后埋藏暗涌，这时天王星开始进入不稳定期，朋友对你的态度飘忽，究竟带给你的是“助力”还是“阻力”，令你摸不着头脑。

金牛座本月的好日子

1	2	3	4	5	6	7	8	9	10
11	12	13	14✿	15✿	16	17	18	19	20
21	22	23	24	25	26	27	28	29	30/31

♥爱情 ■事业 ▲健康 ●财富 ✿家庭 ★人际

6月 上天降下财宝

本月重点运势

- 收入丰厚
- 经常为一些琐事发脾气
- 渴望向外发展

你是富贵的金牛，上天开始给你降下财宝！

金星、水星及太阳都相继进入“金钱宫”，三星交会，强大光芒将带来丰厚收入，使你感到十分满意！

但星盘提示，你不要得意忘形，也要减少奢侈浪费。

火星一直跟你过不去，你经常为一些琐事发脾气，小心因此影响健康。到了22日，火星破坏“金钱宫”，虽然你赚了很多，若不好好计划，很快又会花光，别忘记，你是最懂消费的金牛！

水星及太阳在下半月走进“沟通宫”，你极度渴望向外发展，从星盘看到，你正利用财富支撑对外扩张，不惜付出相当大的金钱代价！

人生的抉择，其实很难分对错。

最重要的是量力而为，不要令自己负担太大。当选择了，便勇往直前，不要轻言后悔。

金牛座本月的好日子

1	2	3●	4●	5	6	7	8	9	10
11	12	13	14	15	16	17●	18●	19	20
21	22●	23●	24	25	26	27	28	29	30

♥爱情 ■事业 ▲健康 ●财富 ✿家庭 ★人际

7月 陶醉于眼前风光

本月重点运势

- 工作发展相当理想
- 旺盛的社交生活
- 家人给你温暖及支持

你在这个月的发展相当理想，无论对外、对内均得心应手，不过所花的金钱也不少！

金星和太阳照耀着“沟通宫”，你有旺盛的社交生活，精力十足，工作发展得相当顺利。水星落于“家庭宫”，你致力于维系完美的家庭生活，家人也给你温暖和支持。

然而这一切都有点不切实际，因为你的财富正急速地溶化！

火星猛烈地焚烧“金钱宫”，你所做的，对实际增益似乎毫无帮助。当你的财富耗尽，如何再支撑你继续向前冲呢？

幸好你是乐观的金牛，从星盘所见，木星守在“本命宫”，而天王星照亮你的“心灵宫”，你陶醉于眼前风光，不沾半丝烦恼，永远的自信爆棚，对自己所做的一切充满信心！

金牛座即使犯错，也会替自己找借口，令自己舒服好过。

金牛座本月的好日子

1	2	3★	4★	5	6✿	7✿	8	9	10
11	12	13	14	15●	16●	17	18	19	20
21	22✿	23✿	24	25	26★	27★	28	29	30/31

♥ 爱情 ■ 事业 ▲ 健康 ● 财富 ✿ 家庭 ★ 人际

白费了心机

本月重点运势

- 人际及外交都出现问题
- 家人成为唯一的支持者
- 从爱情中找到满足和安慰

当你发现人际及外交都出现问题的时候，已经太迟了！

火星已经转到“沟通宫”，整个月不断燃烧，对外发展出现挫折，你之前付出的财富和心力恐怕都要付诸流水。这个月，海王星在“事业宫”逆转，要在短时间内重头再来，真的不是易事呀！

金星及太阳留在“家庭宫”，家人成为唯一的支持者。不过从9日开始，水星在“家庭宫”逆转，你与家人可能出现一些争执，彼此意见不合，虽然过去你为家人付出很多，但不代表家人也要为你付出！

付出是一种无私的奉献，不求回报。

而你不愧是醒目的金牛，22日后，金星和太阳转到“恋爱宫”，当家人、朋友以及工作都令你失望时，你开始把心思转到爱情上，盼望从爱情中找到满足和安慰。

这一次，你的策略很成功！

很快你又找到新的支持，再次成为快乐的金牛，周旋于爱情与工作之中，好不忙碌！

金牛座本月的好日子

1	2	3✿	4	5	6	7	8	9	10
11	12	13	14	15✿	16	17	18✿	19	20
21	22♥	23♥	24♥	25♥	26	27	28	29■	30/31■

♥爱情 ■事业 ▲健康 ●财富 ✿家庭 ★人际

9月 从爱情中找到助力

本月重点运势

- 独自面对困境
- 脚踏实地工作
- 散发自信和魅力

这个月，火星继续燃烧“沟通宫”及“家庭宫”。

星盘提示你，暂时别期望朋友及家人可以助你扭转乾坤，要成功，必须靠自己努力！

星盘上，金星、水星及太阳已经走进“恋爱宫”，你全情投入爱的感觉中，把所有烦恼放下，渴望从爱情中找到力量。

下半月，三星转到“工作宫”内，这一次，你终于愿意放下不切实际的梦想，脚踏实地工作，去努力开创一番事业。

留意土星一直压在“工作宫”，因此，你要认真一点工作。

另外，海王星继续于“事业宫”内逆转，提示你必须循序渐进，不要盼望一步登天，先打好基础，便不再害怕任何冲击。

而你也不必太担心，木星及天王星一直守护着你，你仍然是充满神采的金牛，散发自信和魅力！

金牛座本月的好日子

1♥	2♥	3	4	5♥	6	7	8	9	10
11	12	13	14	15	16	17♥	18	19	20
21	22	23	24	25■	26	27	28▲	29	30

♥爱情 ■事业 ▲健康 ●财富 ✿家庭 ★人际

10月 世事不可能完美

本月重点运势

- 全副心思放在工作与爱情上
- 跟家人的关系还未修补
- 爱情及工作带来很多烦恼

当你发现自己找对了方向，会把全部心思放在工作与爱情上，其他事情通通都放下！

金星、水星及太阳仍然眷恋着“工作宫”，看来你从中得到不少支持和启发，使你恢复自信，对前景再次充满希望。

10日后，金星率先走进“婚姻宫”，水星及太阳也紧随其后，你渴望拥有稳定的爱情，使你无论遇到任何挫折，都可获得支持。

留意火星整个月都在破坏“家庭宫”，你跟家人的关系还未修补，从星盘可以看到，其实你根本没打算作出修补！

也许家人使你感到失望，也许尚欠一个时机。

提醒你，海王星一直都在逆转，工作方面不要草率，不要被表象蒙蔽。

当你全情投入爱情与工作，这时你又会发现，爱情及工作同样带来很多烦恼，世事根本不可能完美。

金牛座本月的好日子

1	2■	3♥	4	5	6	7	8	9	10♥
11	12	13	14	15	16	17	18	19	20
21	22	23■	24♥	25	26■	27♥	28	29	30

♥ 爱情 ■ 事业 ▲ 健康 ● 财富 ✿ 家庭 ★ 人际

11月 思想十分复杂

本月重点运势

- 无人能与你分忧
- 适宜治疗或养生运动
- 家人无法给你助力
- 理想需要付诸行动

这是一个思想复杂的月份，你的脑海中夹杂了多种不同思维，使你拿不定主意。

从你的想法可以知道，无论事业与爱情，似乎跟你心中的理想都有一段距离，而你的身边，找不到亲人或朋友可以与你分忧。

金星和水星一起走进“生死宫”，你对人生有一种新的顿悟，新的反思，对人性欲望有一种新的解脱。

这段时间，若进行任何治疗或养生运动，将有特别显著的效果！

而你为何要反思人生？从火星可以找到答案。

月初，火星破坏“家庭宫”，家人无法给你助力，甚至根本不认同你的行为，使你不胜其烦。到了12日，火星转到“恋爱宫”，在宫内停留8个月！

究竟如何平息这场风波呢？真的使你煞费苦心。

建议你，除了自我反省，还要靠一点实际行动呀，金牛座！

金牛座本月的好日子

1	2	3	4	5	6	7	8	9	10
11	12♥	13♥	14♥	15♥	16♥	17♥	18♥	19♥	20
21	22	23	24■	25■	26	27	28	29	30

♥爱情 ■事业 ▲健康 ●财富 ✿家庭 ★人际

12月 化解人生烦恼

本月重点运势

- 经历爱情的考验
- 出门旅游化解爱情烦恼
- 事业上不宜有大动作

这个月，你的思绪还未平伏，对人生充满疑问。

火星继续猛烈焚烧“恋爱宫”，这是罕见的星座现象，上天要你经历爱情的考验，要你明白，越难得到，才会越珍惜！

水星与太阳停留在“生死宫”，你仍然锲而不舍地追寻人生答案，找寻令人健康快乐的方法，你永远都是积极乐观的金牛，坚信一定有方法化解人生难题。

金星已经转到“旅游宫”，提示你，要化解爱情烦恼，其实出门旅游就可以啦！

如果可以跟伴侣一起旅游，当然最理想了，否则可以分开冷静一下，给对方更多私人空间，不出门的话，找一些新的变化，突破枯燥呆板的生活，都是挽救感情的好方法。

留意海王星继续在“事业宫”逆转，因此，事业上不宜有大动作，还是先好好策划你的救亡大计吧！

金牛座本月的好日子

1	2	3▲	4▲	5	6	7	8	9	10
11	12	13	14	15♥	16	17	18	19	20
21	22	23	24	25	26	27	28■	29■	30/31

♥爱情 ■事业 ▲健康 ●财富 ✿家庭 ★人际

双子座

思想复杂的双子座既重视金钱，也很重视感情，有强大而坚毅的奋斗心和上进心，双子座即使到了一百岁仍然希望工作，不想退休，是典型的工作狂。

太阳星座日期：5 月 22 日—6 月 21 日

宫主星：水星　　**阴阳性：**阳性

三方宫：风象星座

星座图腾：一对双生子

黄道十二宫的位置：第三个星座

对应身体部位：手、肺部、神经系统

幸运颜色：橘色

幸运宝石：猫眼石

最佳优点：适应力佳、学习力强

最差缺点：变化太多、心不在焉

适合职业：大众传媒、杂志、新闻、广播业、印刷、编辑、翻译、公关传媒、交通运输业、通讯器材、信息业

一 双子座男女

希望工作到一百岁的工作狂

双子座的标记是两个孩子。

双子座是典型双重性格的星座，脑袋中经常产生两种思维、两种性格，有时想法又相当极端，令人难以捉摸。

思想复杂的双子座既重视金钱，也很重视感情，经常希望两者兼得。为求目的，会不惜任何方法，有强大而坚毅的奋斗心和上进心。双子座即使到了一百岁仍然希望工作，不想退休，是典型的工作狂。

十二星座中，双子座最善于应变，很懂得收集资料和情报，是危机应变专家，事实上，双子座越变越好运，是经历变化才可以脱胎换骨的星座。双子座就如一块美玉，要经过雕琢才会大放异彩，否则只是一块路边石头。

成功的双子座必须经过千锤百炼，一生起伏特别多，只要找到机会，双子座会平地一声雷，创造骄人成绩，令人侧目。

而双子座对爱情也有一种锲而不舍的追求，女性美丽而富神秘感，男性擅长花言巧语，爱情生活多姿多彩。

双子座想法多、要求多，有时反叛不羁，有时小心稳重。好处是适应力强，但有时给人摇摆不定的感觉，缺乏主见，有时也过分左右逢源，见风使舵，是最容易“变节”的星座。一些能力较逊的双子座会经常感到迷失方向，兜兜转转，找不到人生目标及归宿。

郭品超

高傲，冷酷，聪明好奇，精力旺盛，狡猾叛逆的独特性格组成了双子男的性格特质，且又自命不凡。

小S

双子女天性贪鲜好奇，很懂得勾引男生，她们够大胆，敢于袒露内心感情，喜欢谁就大胆表示。

二 2011年双子座运势

明天会更好

事业变化相当大，要忍耐和适应

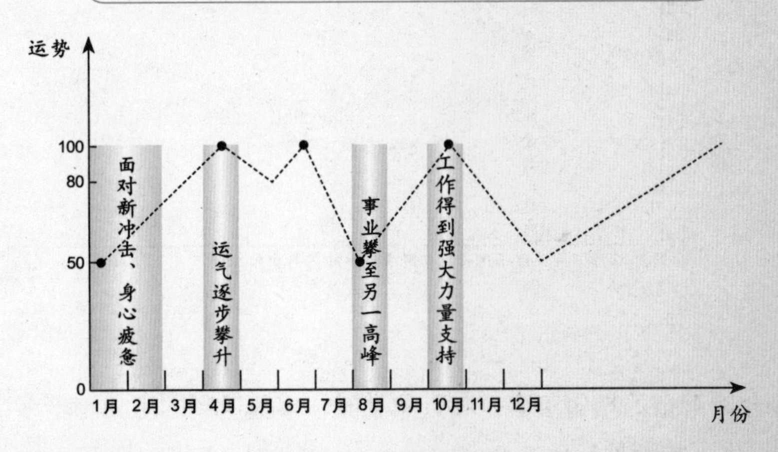

去年双子座受到天王星及海王星转动影响，事业变化相当大，这种变化在今年年初会持续。从1月到3月，无论事业、爱情与健康上，你都要面对一种新的冲击，产生一种新的气候和环境。在变化过程中，你要忍耐和适应，虽然感到有点身心疲惫，但只要咬紧牙关捱过，就可以明天会更好。

4月之后，当金星进入“事业宫”，你的运气便会逐步攀升，工作、人际上都有新的突破，使你充满自信。

然而你要小心，8月份是另一个关口，水星及海王星逆转带来急剧变化，出门公干、驾驶都要特别小心。你要继续忍耐，到了10月，“工作宫”得到强大力量支持，那时候，你可以全无后顾之忧地发展，并得到极大满足感。今年主要的阻力来自人际关系方面，“旅游宫”及“沟通宫”先后被翻转，显示人际及外交出现问题，对外发展受限。一切要静待至年终，当所有行星完成变化周期，才能真正踏入发展高峰期。

这个春天虽然来得有点迟，却开满灿烂的花，为双子座带来无限希望！

财富运

财富期望不要过高，投资要谨慎

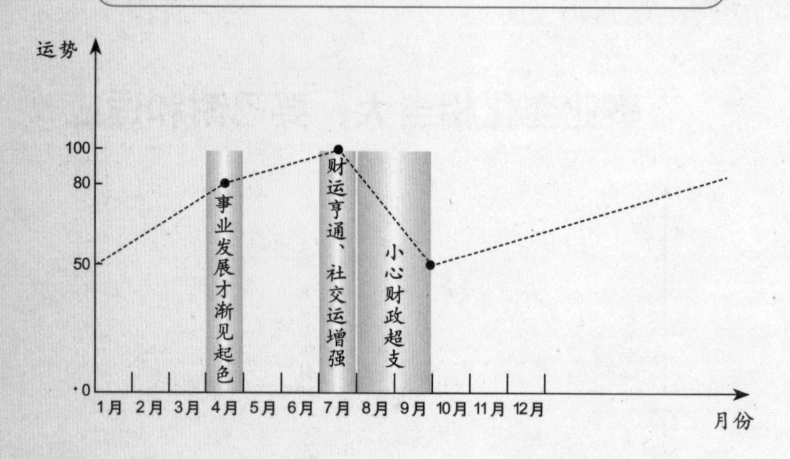

今年对财富的期望不要过高，年初时，事业遇到的阻力相当多，直至4 月后，发展才渐见起色。

而你的财运高峰期在 7 月，金星和太阳照耀“金钱宫”，使你财运亨通！水星带来很好的社交运，增加你的赚钱机会。

不过提醒你，火星 8 月至 9 月都在焚烧“金钱宫”，加上水星及海王星都在逆转，喜欢消费享乐的你，小心财政超支。这段时间投资要谨慎，虽然你很有冒险精神，但大局的权不在你手中，保持低调才是安全之策。

今年是变化动荡之年，财富也会出现较大的转移及变动，双子座要耐心化解危机，10 月后，一切都会稳定下来。

爱情运

爱情尽在掌握中

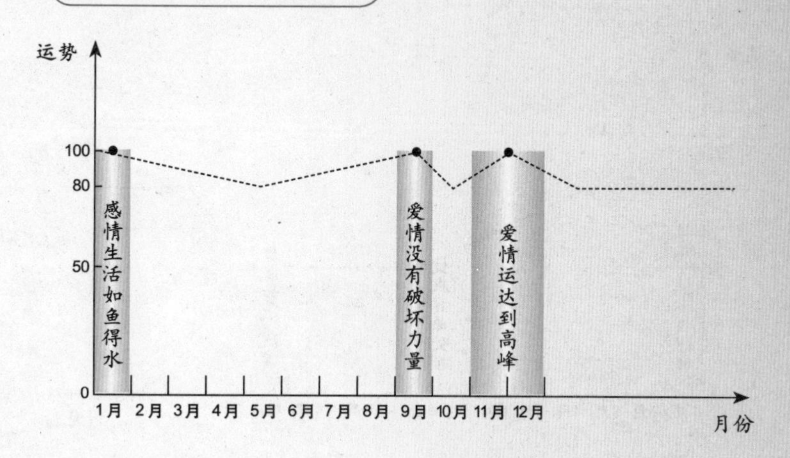

今年你的感情生活真是如鱼得水！

年初金星照耀“婚姻宫”，到了11月，金星、水星及太阳交会，令“婚姻宫”出现强大光芒，爱情完全在你的掌握之中。

而“恋爱宫”在9月也出现三星交会，更重要的是，“婚姻宫”及“恋爱宫”十分完整，星盘上找不到破坏爱情的力量！

唯一的压力来自土星，你对爱情可能还有一些忧虑，使你无法百分百投入。提示你，不要爱得太浓太烈！

10月之后，火星持续破坏“家庭宫”，虽然爱情大过天，但也要顾及家人的感受，及时修补与家人的关系。

健康运

健康获得更进一步的改善

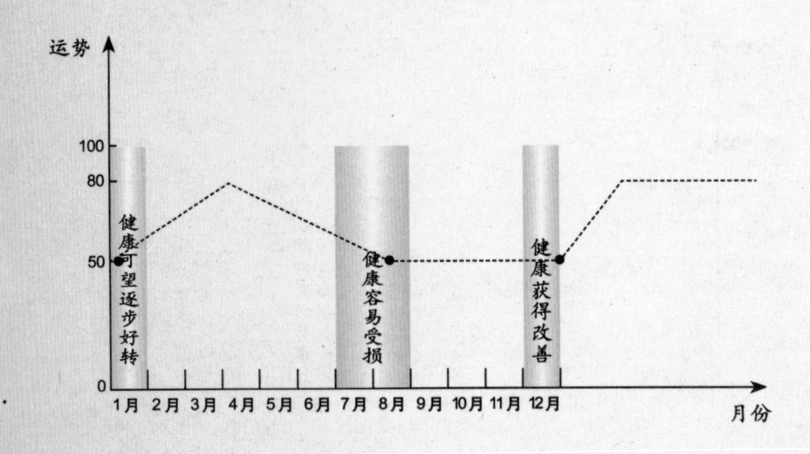

去年你的健康经常出现小毛病，今年年初1月后，当火星离开“生死宫”，健康可望逐步好转。不过由于冥王星影响“生死宫”，要小心隐疾及慢性疾病，多注意调理身体。

年中7月至8月，火星破坏“本命宫”，你的情绪较不稳定，健康容易受损，加上海王星在“旅游宫”逆转，出门要分外小心。

今年年终，你将会找到新的助力，令健康获得更进一步的改善。

三 2011年双子座“十大天机”尽泄

最有情的成功拍档	金牛座 处女座 山羊座
最具挑战的竞争对手	双子座 水瓶座 天秤座
最得力的星座贵人	白羊座 狮子座 人马座
最失控的星座克星	巨蟹座 天蝎座 双鱼座
最经常在你身边出现的人	金牛座 巨蟹座
最易犯的禁忌	早上喝咖啡、中午见客、睡房放电视机、通宵开灯
最行衰运的打扮	穿鲜艳的衣服、胸前挂手提电话、烫发、戴胶框眼镜
最快转运方法	早上洗澡、住在海边、睡铜床、去北京或哈尔滨
最令你开窍的食物	豆腐、生鱼片、海藻、珍珠末
最招财的饰物	钻石、白金、珍珠、斑彩石（海螺化石）

四 双子座行运大公开

双子座特别聪明

你的活力特别充沛，行动迅速敏捷，因为你喜欢在同一时间做几种不同工作！你较喜欢短头发，前额较阔，看起来特别聪明和醒目。你的下巴一般较尖，喜欢说话，活泼而不咄咄逼人，表现友善随和。你也很懂得打扮，会以自己的方式配搭出流行服饰。凭着机灵的面孔和轻巧的动作，你经常在第一次见面中，已给对方留下深刻印象。

双子座的爱情很理智

你在感情上较为不冲动，虽然你也追求浪漫激情，但你的爱往往夹杂着友情和理智的成分。在开始发展初期，你未必会马上热情如火，不过当你认定目标以后，会锲而不舍地追求直至成功。你也能与伴侣维持长久关系，但必须在关系中寻求变化，否则你会生厌，甚至同时爱上超过一个伴侣。你在爱情上有时有点自私和冷漠，未能顾及伴侣的感受，热情冷却得很快。

星座速配排行榜

名次	速配星座	速配率	速配指数
第1名	天秤座	95%	友情：★★★★
			爱情：★★★★★
			婚姻：★★★★
第2名	双子座	93%	友情：★★★★★
			爱情：★★★★★
			婚姻：★★★★
第3名	白羊座	90%	友情：★★★★
			爱情：★★★★
			婚姻：★★★

双子座的吉祥物

双子座的吉祥符号像罗马数字Ⅱ，象征成双成对，这代表双子座出现时必须以一对为最好，孤独的双子座会失去力量。薰衣草的淡淡香气最能代表你对爱情的谨慎追求，你爱饮柠檬茶，爱吃核桃和蔬菜，对薄荷味的食物情有独钟。

你喜欢新颖设计，如最新款的电话及通讯器材等，各类宝石、木刻、小动物装饰等，均特别吸引你的注意。职业方面，教书、协调和公关工作、银行业甚至销售员都很适合擅长沟通和搜集资料的双子座。

工作之余，你喜欢按摩和旅行，也喜欢享受美食，晚上也许会做一些手工艺。你的家居喜欢采用鲜艳颜色和新式设计，会使用很多玻璃和金属，不喜欢笨重的大型家具，由于你是风象星座，很注重室内空气流通，不会令家居拥挤得透不过气来。

双子座跟“猴肖”有关？

双子座跟十二生肖中的“猴肖”有很多共通之处！

猴人反应敏捷，办事能力高，属事业型生肖，最喜欢走快捷方式，有时甚至为了达到目的而瞒天过海。

双子座有多重性格，善变而难以捉摸，令别人无法知道虚实。双子座不论男女对事业都充满野心，对爱情习惯甜言蜜语，年长的双子座依然对目标锲而不舍，耐力惊人，做事认真，死不认输，有一股不达目的不罢休的勇气！

薰衣草的淡淡香气最能代表双子座对爱情的谨慎追求

五 2011年双子座每月运程

1月 有一种病了的感觉

本月重点运势

- 心情不会太好
- 工作上遇到的难题大增
- 感情不顺畅
- 心中忐忑不安

踏进今年第一个月，你的心情不会太好，因为水星跟天王星都在逆转，给你带来不少麻烦！

从去年8月开始，天王星把你的“事业宫”翻转，工作上遇到的难题大增，一大堆问题积压到今年，使你有一种“生病”的感觉！

另外，水星又在“婚姻宫”逆转，感情与家庭皆不顺畅，你的心神摇晃不定，看不清目标和方向。

火星整个月都在燃烧“生死宫”和“旅游宫”，可以看到你的思绪相当复杂，心中总是忐忑不安。

但从星盘可以看到，其实你在很努力地化解一切难题。

金星在8日之后进入“婚姻宫”，而水星也在14日照亮“生死宫”，你很紧张爱情，也很关心健康。

困难只会更加激发双子座的奋斗心！

双子座本月的好日子

1	2	3	4	5	6	7	8✿	9✿	10✿
11♥	12♥	13♥	14	15	16	17	18	19	20
21	22	23	24	25▲	26▲	27	28	29	30/31

♥爱情 ■事业 ▲健康 ●财富 ✿家庭 ★人际

2月 心情好转过来

本月重点运势

- 情绪逐渐稳定
- 健康带来强有力的支撑
- 工作承受双重压力
- 朋友为你打开心结

这个月，你的心情大为好转，情绪也逐渐稳定下来。

金星走到“生死宫”，为健康带来强有力的支撑。水星和太阳联手把“旅游宫”照得闪闪发亮，虽然火星继续燃烧，但破坏力已经减弱。

可以看到，你是相当坚强而有生命力的双子，不会屈服于敌对势力，一定会抗争到底！

另一边，天王星继续破坏“事业宫”，虽然逆转已接近尾声，不过要留意，火星在25日闯进“事业宫”，使你的工作承受双重压力！

因此，其实你一直为工作而烦恼，水星和太阳在20日后进入“事业宫”，你看来非常心急，希望事业上找到突破。

不过星盘所见，越心急，事情越不受你控制！

所以你不如采取轻松态度，先调理好身体健康，到外地旅游是舒缓情绪的好方法。这个月木星已进入“朋友宫”，烦闷时找朋友倾诉，有助于你解开心结。

双子座本月的好日子

1	2■	3	4■	5	6	7	8	9	10
11	12	13	14	15	16	17	18	19	20■
21	22	23	24	25★	26★	27	28		

♥爱情 ■事业 ▲健康 ●财富 ✿家庭 ★人际

3月 找到朋友做靠山

本月重点运势

- 工作上遇到不少阻滞
- 身边有不少助力
- 强大贵人运
- 运气逐步攀升

工作事业的困扰，继续成为本月的主题！

整个月，火星都在破坏“事业宫”，工作上遇到不少阻滞，使你劳心劳力。幸好水星和太阳继续支撑“事业宫”，可见其实你身边有不少助力，并非孤军作战。

此时金星走到“旅游宫”，提示你，一切放松放开吧！既然不能力拼，不如尽量低调，保持实力。

下半月后，当天王星完成逆转，走进“朋友宫”内跟木星、水星及太阳交会，你将获得强大贵人运，化解工作上的难题。

因此，你的运气正逐步攀升，再忍耐一段时间，很快便会看见曙光！

这段时间，尽量充实自己，多参与社交活动，到外地旅游，建立人际关系网，可以大大增加你成功的本钱。事实上，双子座身边一定要有贵人才好运，孤独的双子座会迷失自我，认不清方向。

双子座本月的好日子

1	2	3	4★	5	6	7	8	9	10
11	12■	13	14	15★	16	17	18	19	20
21	22	23	24	25	26	27★	28	29■	30/31

♥爱情 ■事业 ▲健康 ●财富 ✿家庭 ★人际

可以随意发挥

本月重点运势

- 事业的不利因素解除
- 成为受欢迎的人
- 这个月充满机会

来到这个月，终于可以大展拳脚！

事业的不利因素已经解除，金星在“事业宫”内闪闪发光，而太阳、水星、木星及天王星在“朋友宫”会合，带来强大力量，使你成为受欢迎的人。你一出现，马上成为焦点，惹来注视的目光！

这一刻，你是充满自信和能量的双子，有信心战胜任何挑战。

当然，你不可以太轻敌，因为火星也闯进“朋友宫”，提示你，是敌是友，有时很难分辨，稍一不慎，便会落入对方圈套！

因此你要打起精神，助你的人有时也会变成害你的人，太好心也会变成坏事！

特别是双重性格的双子，一生中最多灰色地带，经常处于爱恨交织之中，难以割舍。

无论如何，这个月充满机会，可让你随意发挥。善于把握机会的你，相信心中早已填满发展大计！

双子座本月的好日子

1■	2	3	4★	5	6■	7	8	9■	10
11	12	13■	14	15★	16	17	18	19★	20
21	22★	23	24	25■	26	27	28■	29	30

♥爱情 ■事业 ▲健康 ●财富 ✿家庭 ★人际

5月 周旋于人际关系中

本月重点运势

- 贵人给你很大支持
- 社交生活多姿多彩
- 灵性得到滋润

整个月你都周旋于人际关系上，贵人给你很大支持，使你成为快乐的双子！

金星、水星、木星及天王星继续影响“朋友宫”，你的社交生活多姿多彩，且从中得到不少利益，不过，有时也会带来一些麻烦事！

因为金星一直都在暗中破坏，提示你，人际关系是一门复杂的学问，当中有喜也有悲，非常考验双子座的应变力！

16日，金星与水星移到“心灵宫”，与太阳交会，形成强烈光芒，你的心灵十分充实，灵性得到滋润。但可惜，火星也早一步到达，作出破坏。

可以看到，你的双重性格又在作祟，情绪有点飘忽，时而极喜，时而极忧，出现两种极端思维，令人难以捉摸。然而正是你最喜欢摆出的姿态，令人感到你深不可测，不会被轻易猜破。

这段时间，木星及天王星一直守护“朋友宫”，虽然有时人际上会遇到棘手问题，但很快又有贵人出现，助你摆平！

双子座本月的好日子

1★	2	3	4	5	6★	7	8	9★	10
11	12	13★	14	15	16▲	17▲	18	19	20
21	22	23	24	25	26★	27	28	29	30/31

♥爱情 ■事业 ▲健康 ●财富 ✿家庭 ★人际

6月 掌握操控大权

本月重点运势

- 身体状态相当好
- 抓到很多财富机会
- 跟你竞争的人不少
- 感情发展较缓慢

这是自信与自我急速膨胀的月份，你的身体状态相当好，精力充沛，财富跟你的距离越来越近！

在10日，金星与太阳及水星在“本命宫”相遇，迸发强大光芒，你的斗志十分高昂，感到自己充满力量，而你的卓越表现，也让别人对你另眼相看！

下半月，当水星及太阳移到“金钱宫”，头脑灵活的你抓到很多财富机会，星盘上，行星已经全部走到正东方，操控全局的大权落在你手中。

唯一要顾虑的是火星，它一直跟你对着干，可见跟你竞争的人也不少呀！

火星一直燃烧“心灵宫”，你很容易为小事发脾气，做事过分紧张是你的坏习惯。20日后，火星破坏“本命宫”，这天之后，你要开始加紧注意健康，拼搏过度会加速你的衰老，一定要小心！

今年土星一直压着“恋爱宫”，感情发展较缓慢，上半年事业渐见起色，但爱情方面仍然尚待努力！

双子座本月的好日子

1	2▲	3	4▲	5■	6■	7	8	9	10★■
11	12	13	14▲	15	16	17	18	19	20
21	22	23	24✿	25	26	27	28	29	30

♥爱情 ■事业 ▲健康 ●财富 ✿家庭 ★人际

7月 财富跟健康对抗

本月重点运势

- 财富源源不绝地涌进
- 健康受损
- 社交运很强

这个月，你依然是自信的双子，财富源源不绝地涌进来，身边很多人支持你，不过要小心“财多身弱”！

这是宇宙的一种奇妙规律，财运太强，便会使健康受损，在星盘上，财富与健康的宫位是相对的，反映两者有一种互相抗衡的力量。

金星和太阳的光芒照射“金钱宫”，整个月你的收入相当不俗，而水星影响着“沟通宫”，你的社交运很强，你花了不少心思部署人际关系，使成功看上去更完美。

而你唯一要注意的是你的健康！火星破坏“本命宫”，要小心一些突如其来的变化，它们可能会影响健康。

你是最有事业心、最爱向上爬的双子，但星盘提示你，有得必有失，有些时候，健康与财富难以兼得！

有些人做了善事捐了钱，健康自然好起来，其实从西方星盘上也可看到这种微妙关系。

双子座本月的好日子

1	2●	3	4●■	5	6	7●■	8	9	10
11	12	13✿	14✿	15	16	17■	18	19●	20
21	22	23	24●	25	26	27	28●	29	30/31

♥爱情 ■事业 ▲健康 ●财富 ✿家庭 ★人际

8月 变化出乎意料

本月重点运势

- 人际关系出现反动力
- 开支增大
- 充满挑战和考验

这是变化多端的月份，小心破财！

金星、水星、太阳同时走进“沟通宫”，可惜这一次，水星出现逆转！

代表你的人际关系出现反动力，有另一派势力出现，使你的影响力出现动摇。从星盘所见，其实你稍占上风，不过，付出的代价也不小！

火星整个月都燃烧“金钱宫”，开支似乎不受控制，你对此束手无策。

另外，海王星从本月起于“旅游宫”逆转，一直到明年初才结束。你最好有心理准备，本月的变化会相当急速，出乎意料，而对外发展、旅游出差时遇到的阻滞也会较多，这个月，充满挑战和考验。

22日后，金星和太阳转到“家庭宫”，提示你，从家人身上可以找到支持，助你扭转乾坤。

幸好你是习惯面对变化的双子，变化越大，越能够发挥你的精密思考与天赋才华，令人佩服。

双子座本月的好日子

1	2	3	4	5	6	7	8	9	10
11	12	13	14♥	15♥	16	17	18	19	20✿
21✿	22	23	24	25	26	27	28	29	30/31

♥爱情 ■事业 ▲健康 ●财富 ✿家庭 ★人际

爱情近乎完美

本月重点运势

- 重点发展感情生活
- 人际及财政上遇到不少压力
- 享受家庭生活
- 感受到爱情的甜美

这个月，你最好把所有工作、名利都放下来，发展感情生活。

在上半月，水星、火星继续作出破坏，你在人际及财政上遇到不少压力，使你感到很烦！而海王星更火上浇油，变化多端令你难以把握。

这时，金星及太阳从“家庭宫”带给你很多支持，是时候从名利角逐中暂时抽离出来，享受家庭生活，舒缓紧张压力及情绪。

16日后，金星、水星及太阳相继进入“恋爱宫”，当三星交会发出强大光芒，你的爱情将出现突破，使你感受到爱情的甜美！

你的“恋爱宫”看上去十分完整，丝毫没受到破坏，上天赐予你近乎完美的爱情，唯一美中不足的是土星带来压力，显示你对爱情还有顾虑，无法全部投入，想想，你心中的顾虑究竟是什么？

20日后，火星走到“沟通宫”，在人际上你要忍耐，避免与人发生冲突，任何冲突都会破损你的好运，明白吗？

双子座本月的好日子

1	2	3♥	4♥	5✿	6	7♥	8✿	9	10
11	12	13	14	15	16♥	17✿	18	19	20
21	22	23	24♥	25✿	26	27	28	29	30

♥爱情 ■事业 ▲健康 ●财富 ✿家庭 ★人际

10月 越工作越有魅力

本月重点运势

- 人际关系紧张
- 全情投入工作
- 发展不能操之过急
- 一切都已朝着好的方向发展

来到本月，人际关系仍然紧张，不过得到爱情滋润的你，工作得越来越起劲，别人的看法根本不重要！

火星把“沟通宫”破坏得相当严重，奉劝双子别再纠缠于是非噪音中！让自己的耳根清净一下，然后，全情投入工作，勤力工作的人才有魅力呀！

10日之后，金星、水星及太阳全部跑进“工作宫”，给你十分强大的动力，你终于找到真正的人生目标，不再困惑于无聊的人际纠缠中。

什么都是假，行动才最实际，所以努力为自己打好基础吧！

留意海王星一直带来负面影响，发展不能操之过急，尚有很多不明朗因素干扰着你，要静观其变。

一切都已朝着好的方向发展，只要令自己强大，别人自然无法加害，要成功，从自己的一方开始做起。

双子座本月的好日子

1	2■	3	4■	5♥	6	7	8	9	10■
11	12	13♥	14	15	16■	17	18	19	20
21	22♥	23■	24	25★	26★	27	28♥	29■	30/31

♥ 爱情 ■ 事业 ▲ 健康 ● 财富 ✿ 家庭 ★ 人际

11月 充满爱的祝福

本月重点运势

- 好运继续相随
- 工作爱情都十分满意
- 有望结束单身生活

这个月，好运继续跟你做朋友，使你工作爱情都十分满意！

金星和水星在月初携手走进“婚姻宫”，为你送上爱情祝福，星盘上已找不到任何破坏力，尽情享受与伴侣一起的甜蜜日子吧！

当太阳在23日照射“婚姻宫”，将使你得到更大的温暖和喜悦。整个月你都陶醉在爱情中，连名利也变得渺小。

而工作上，其实你一直都很顺利，太阳带给你很好的工作魄力，可以轻松地应付工作。

这是一个完美的画面，假如你还未婚，建议你抓紧本月的黄金机会，不要错过！

另一边，火星干扰你的日常生活，你有时会为了小问题与人争执，家人也会带给你一些麻烦，不过，火星势单力薄，影响只是有限。

可是你要继续留意海王星逆转，出门、驾驶要特别小心，提防意外。

双子座本月的好日子

1♥	2	3■	4	5♥■	6	7	8♥	9	10
11	12♥	13	14	15	16♥■	17	18	19	20
21	22	23♥✿	24✿	25✿	26	27	28	29♥	30

♥爱情 ■事业 ▲健康 ●财富 ✿家庭 ★人际

12月 继续享受好运

本月重点运势

- 超强爱情运在延续
- 工作精力充沛
- 家庭可能出现一些纠纷

你的超强爱情运在本月延续，你依然爱情大过天，把其他事情都放下！

太阳及水星继续照亮“婚姻宫”，爱情使你的心灵得到极大满足，神采飞扬。

金星移到“生死宫”，为你的健康打气，使你有更充足的精力应付工作及爱情。

再一次，星盘上呈现一种和谐气氛，之前的恶性竞争告一段落，到了22日，当金星转到“旅游宫”，海王星的威胁将逐步解除，一切恢复正常发展。

当然，你也不可完全忽视火星，这是专门使你心烦意乱、做错事的行星，本月，火星落在“家庭宫”，家庭可能出现一些纠纷，或家人健康出现问题，使你伤脑筋。

无论如何，放松心情，好好享受本月的爱情与好运吧。这一年，你在爱情上先赢了漂亮一仗，到了明年初，当海王星完成逆转，将为你带来强大事业助力，使你工作上有如神助！

双子座本月的好日子

1♥	2	3	4	5	6	7	8	9	10
11	12	13	14	15♥	16✿	17	18	19	20
21	22✿	23	24■	25■	26	27	28	29	30/31

♥ 爱情 ■ 事业 ▲ 健康 ● 财富 ✿ 家庭 ★ 人际

巨蟹座

爱憎分明的巨蟹座属于大情大性，重视家庭生活，与亲人的关系血浓于水。一生背负的责任和期望特别多，但有时表现得过分紧张，对金钱也相当计较。

太阳星座日期： 6 月 22 日—7 月 22 日

宫主星： 月亮　　　**阴阳性：** 阴性

三方宫： 水象星座

星座图腾： 螃蟹

黄道十二宫的位置： 第四个星座

对应身体部位： 胃、子宫、胸部、肺部

幸运颜色： 绿色

幸运宝石： 珍珠

最佳优点： 充满母爱，照顾别人

最差缺点： 心胸狭窄，缺乏安全

适合职业： 保姆、看护、产后调理、家庭用品、清洁、餐饮食品、营养调理、船运、服饰

一 巨蟹座男女

占有欲和野心极强的小霸王

巨蟹座真的仿如一只蟹，是家中的小霸王，最爱争夺地盘，对金钱特别敏感！

巨蟹座做事十分积极，当遇到“猎物”，会主动出击，绝不手软！得到之后，会据为己有，界限分明，别人不可以超越，是占有欲和野心都极强的星座。

爱憎分明的巨蟹座属于大情大性，重视家庭生活，与亲人的关系血浓于水。一生背负的责任和期望特别多，但有时表现得过分紧张，对金钱也相当计较。

而巨蟹座对爱情尤其执著，妒忌心也特别强，一旦投入，会爱得令对方透不过气。女性一拍拖便想结婚，即使男巨蟹也爱得特别痴情。

不过将这种执著放在工作上，巨蟹座拥有惊人的毅力和奋斗心，能够战胜任何恶劣环境。巨蟹是天生的战斗能手，是与生俱来的武士，只有在不断战斗中，才可以显现巨蟹座的强大作战能力，是挑战越多越行运的星座。

巨蟹座一生都不能够停下来，不能够淡泊名利，否则会失去光彩和自信。巨蟹要够凶、够霸气才好运，过分柔弱的巨蟹会经常感到受委屈，思想钻入牛角尖，需要长时间才可以抚平创伤。

虽然外表刚强，霸气十足，但巨蟹座爱思考，对家人朋友特别照顾，经常表现出柔情似水的另一面，对伴侣十分细心，令对方轻易被攻陷，是有勇也有谋的星座。

梁朝伟

善于用感情去打动、团结周围人，恪守传统、相当节俭，巨蟹男的感情细腻到很多女性都无法望其项背。

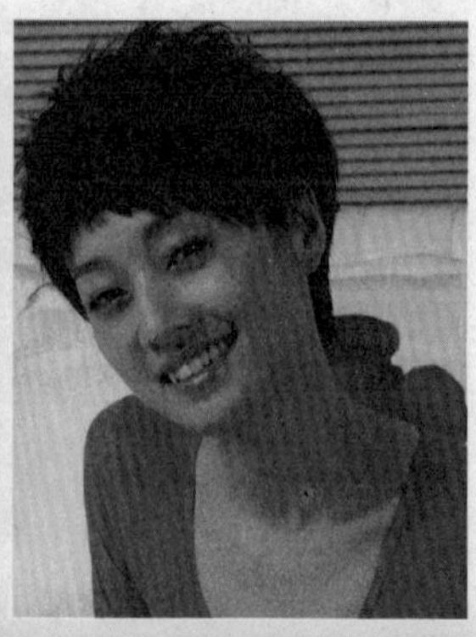

马伊俐

她们拥有一切女性的特质，温柔体贴、善解人意，非常善于营造温馨的家庭氛围，令人分外动心。

二 2011年巨蟹座运势

得到极大满足感

事业运

事业发展上极有优势

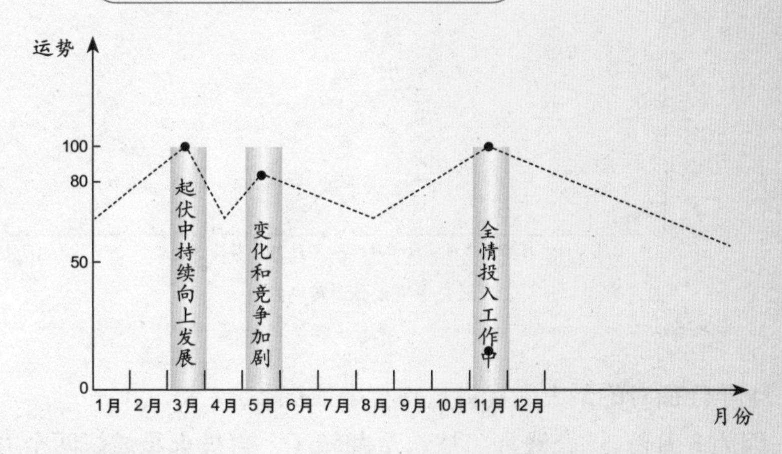

今年巨蟹座在事业发展上其实极有优势，因为天王星及木星进入“事业宫”，给你带来强大支持。

年初时受水星及天王星逆转影响，令你处于一种无所适从的变化中，失去了方向。不过3月以后，星盘上几乎所有星宿都齐集在“事业宫”，带给你前所未有的强大支持，虽然火星也来破坏，显示发展过程中有起有落，但整体发展持续向上，使你得到极大满足感！

5月后，变化和竞争加剧，你要小心化解压力和挑战，而你要留意，8月份行星逆转，你的财富与健康均面临威胁，千万不要掉以轻心！

到了年终11月，“工作宫”得到强大助力，这时，你可以全情投入工作中，朝着心中理想迈进。

另外，今年人际关系遇到的阻力相当多，特别在10月之后，火星破坏“沟通宫”长达8个月！意气风发的巨蟹在胜利之后，要收敛锋芒，广结善缘，减少树敌。

美好的财富梦破灭

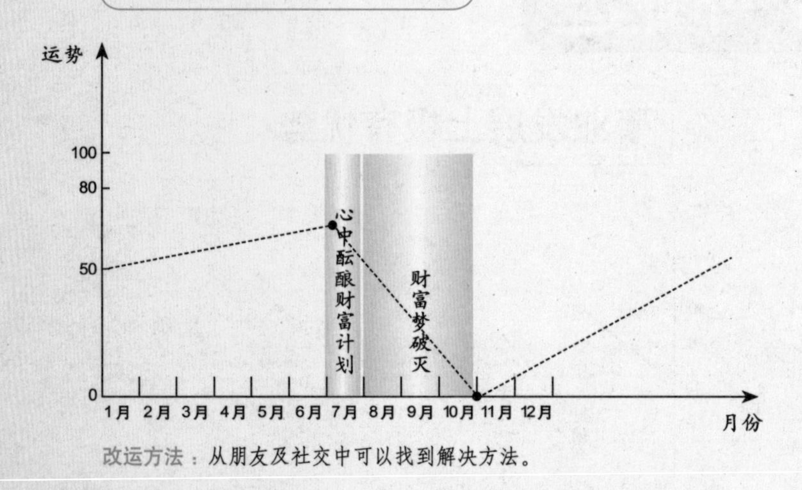

改运方法：从朋友及社交中可以找到解决方法。

今年你面对的最大困扰肯定来自金钱！

因为8月份，“金钱宫”被水星翻转了，再被火星燃烧两个月，财富不受你控制，使你相当无奈。

从星盘看到，水星在7月已经进入“金钱宫”，显示你心中充满财富大计。到了8月，金星及太阳也加入其中，这本来是完美组合，可惜水星出现逆转，令财富梦付诸流水！

加上“金钱宫”被火星严重破坏，使你为财富伤透脑筋！

幸好星盘提示你，从朋友及社交中可以找到解决方法，明白吗，巨蟹？

爱情运

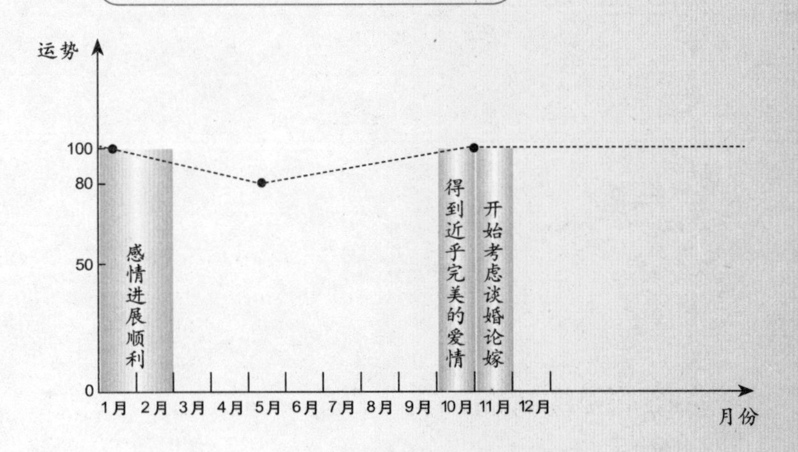

虽然你的财富欠了一点运，感情却大丰收。

年初 1 月到 2 月，你的“婚姻宫”被照得通明，到了 10 月，金星、水星及太阳在“恋爱宫”交会，使你得到近乎完美的爱情，找不到任何瑕疵。

到了 11 月，金星再次在“婚姻宫”闪出光芒，爱情发展理想，未婚的巨蟹可考虑在此时谈婚论嫁。

在全年里，星盘上找不到任何破坏爱情的力量，敌人完全消失，在爱情上，你成为百分百的大赢家！

健康运

提防健康生变，出门要小心

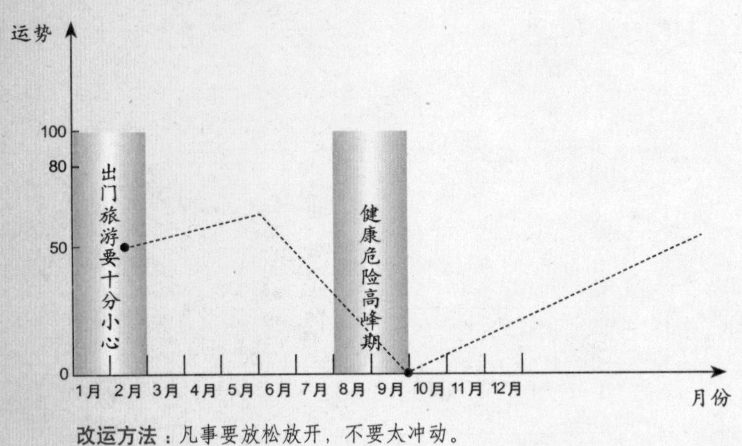

改运方法：凡事要放松放开，不要太冲动。

你要注意，今年海王星在“旅游宫”及“生死宫”逆动，将会带来极多突发事件，影响心情和健康。你必须提高警惕，年初要做全身检查。

在年初 1 月和 2 月，火星燃烧“生死宫”，加上天王星逆转，出门旅游要分外小心。

8 月和 9 月是危险高峰期，水星逆转，加上火星燃烧“本命宫”，提防健康出现变化。谨记凡事要放松放开，巨蟹座永远败于太冲动，太紧张便不美，你的健康也是这样。

三 2011年巨蟹座“十大天机”尽泄

最有情的成功拍档	白羊座 狮子座 人马座
最具挑战的竞争对手	巨蟹座 天蝎座 双鱼座
最得力的星座贵人	双子座 水瓶座 天秤座
最失控的星座克星	金牛座 处女座 山羊座
最经常在你身边出现的人	狮子座 双子座
最易犯的禁忌	早上订报纸、家中种花、堆放毛绒玩具、摆红木家具
最行衰运的打扮	穿绿色衣服、戴夸张饰物、留须、戴草帽
最快转运方法	每天游泳、大厅放冰柜、溜冰、去欧洲旅行
最令你开窍的食物	牛肉、鸡蛋、奶酪、珍珠末
最招财的饰物	宝石、银器、珍珠、斑彩石（海螺化石）

四 巨蟹座行运大公开

巨蟹座重传统

你的外形给人传统感觉，女性会偏肥，因为喜欢入厨，胸部也特别大。你的前额较突出，眼睛较小，皮肤白皙，对衣着显出漫不经心，有时会错误配搭，但有时也会别出心裁，对颜色和款式颇有心得。你整体上给人多疑的感觉，眼睛经常转动，有时甚至偷偷地四处张望，充满警觉和戒备，你会在天冷时穿特别单薄的衣服，天热时又穿得比别人厚。

巨蟹座的爱情很浪漫

你对爱情十分积极，会不惜一切代价保护所爱的人，但你的过分热情有时会暴露你的弱点，结果弄巧成拙。你执著于建立完美家庭，伴侣因你的认真而被你打动，但有时也令伴侣感到失去自由。你对爱情的反应是较极端的，要注意因此而破坏彼此的关系。不过你很擅长制造浪漫和轻松气氛，对方会因此而被你深深吸引。

星座速配排行榜

名次	速配星座	速配率	速配指数
第1名	天蝎座	95%	友情：★★★★
			爱情：★★★★★
			婚姻：★★★★
第2名	双鱼座	93%	友情：★★★★★
			爱情：★★★★★
			婚姻：★★★★
第3名	处女座	90%	友情：★★★★
			爱情：★★★★
			婚姻：★★★

巨蟹座的吉祥物

巨蟹座的吉祥符号是一个蟹盖形的金钱图案，象征巨蟹所蕴藏的热情和财富。在众多花卉中，百合花最能代表你对世间所有事物的包容和热爱，你爱吃水分多的食物如哈蜜瓜、奇异果等，对甜品和朱古力情有独钟。

珍珠扇子、古董银相架、贝壳、珊瑚等高雅饰物，特别吸引巨蟹座。工作方面，你喜欢写作，也很适合当导游或收藏家。

工作之余，你喜欢买厨具和鸡蛋，行运的你会买飞机模型、计数机或香水。你的家里通常堆满旧杂物和日用品，因为你对事物的欣赏能力很强，你喜欢古董家具，也会采用色彩鲜艳的布料，在家中会摆放大量洋娃娃饰物。

巨蟹座跟“羊肖”有关?

巨蟹座跟十二生肖的“羊肖”原来是互通的!

羊人喜欢群体生活，欣赏自己的安乐窝，关心家人朋友，但对于不熟识的人，警觉性相当高，有时过分杞人忧天。

巨蟹座不论男女，在战场上不管如何威风，回到家中都是照顾家庭的好伴侣。为了增加安全感，会不断拼命争取，往往因此而创造骄人成绩。巨蟹座很懂珍惜和保护自己所拥有的一切，若感到受威胁，会不惜任何代价抗争到底。

百合花最能代表巨蟹座对世间所有事物的包容和热爱

五 2011年巨蟹座每月运程

1月 顾此失彼的日子

本月重点运势

- 工作及对外发展遇到障碍
- 懂得捕捉时机
- 为家庭而奔波

踏进第一个月，阻力相当多，使你有点心烦意乱！

去年的余波仍然存在，水星及天王星逆行，工作及对外发展遇到的障碍比较多。而火星破坏“婚姻宫”及“生死宫”，感情及健康均带来烦恼，可以看到，你在这个月顾此失彼，实际情况跟你的想法背道而驰！

幸好8日之后，当金星为“工作宫”带来支持，压力将逐步获得舒缓。

下半月后，水星进驻“婚姻宫”，为感情带来新希望，而太阳照耀“生死宫”，为健康注入强心剂，你的确是懂得捕捉时机的巨蟹，很快便找出问题所在，然后对症下药。

因此，无论环境如何恶劣，即使布满荆棘，依然勇往直前，这正是巨蟹的最大成功之处，抗争越多，成就越大。

留意土星全年压在“家庭宫”，你为家人付出不少心力，事实上，你是恋家的巨蟹，一辈子都为家庭而奔波。

巨蟹座本月的好日子

1	2	3	4	5	6	7	8■	9■	10
11	12	13	14	15▲	16▲	17	18	19	20
21	22	23	24	25▲	26▲	27	28	29✿	30/31

♥爱情 ■事业 ▲健康 ●财富 ✿家庭 ★人际

2月 出现强大冲击

本月重点运势

- 身心处于不稳定状态
- 小心健康出现变化
- 生活充满矛盾
- 伴侣给你心灵上的支持

这是变化多端的月份，几于所有星宿都落在“生死宫”及“旅游宫”，显示你无论精神上或身体上都处于不稳定状态，有正反两股力量互相抗衡。太阳、水星、火星及海王星在“生死宫”内发生碰撞，这是掌管健康的宫位，你要小心健康出现变化，也要控制情绪，冲动是巨蟹的最大敌人。

20日后，太阳、水星转到“旅游宫”，跟火星及天王星逆行的两股力量相遇，产生强大冲击力！

这真是充满矛盾的日子，很多事情都在变化中，敌我难分，祸福难测，而你正好从中吸取教训和进步，将事情纳入正轨。

至于金星一直留在“婚姻宫”，无论你遇到任何困难，伴侣都会给你心灵上的支持。恋家的巨蟹面对任何问题，一定先找伴侣帮忙，而不会独自行事。

谨记，本月首要问题是注意健康，提防意外，旅游或出差、驾驶要特别小心，也要争取休息减压，以平常心面对一切起伏。

巨蟹座本月的好日子

1	2✿♥	3	4	5	6	7✿	8	9	10
11	12	13✿	14	15	16	17	18	19	20✿
21	22	23	24	25	26	27✿♥	28		

♥爱情 ■事业 ▲健康 ●财富 ✿家庭 ★人际

3月 事业运迅速增长

本月重点运势

- 健康明显康复
- 工作充满斗志
- 出门公干、外地投资遇到障碍
- 整个大势在你的掌握中

踏入3月，变化开始稳定下来，你迫不及待披甲上阵，巩固自己的地盘！

金星闪亮“生死宫”，带给你强大自信和能量，使你可以应付繁重工作。之前身体遇到的毛病，这时也明显康复过来。

而水星在10日便跑到“事业宫”，可以看到，你真的很心急在事业上大展拳脚！

星盘上几乎所有行星都被你召唤到“事业宫”，21日，太阳、水星、木星和天王星在宫内交会，发出强烈光芒，你对事业充满雄心壮志，心中有数不完的大计！

不过另外，火星猛烈燃烧“旅游宫”，你要明白，本月主要的阻力来自对外发展，出门公干、到外地投资将遇到障碍，不能操之过急。

这是个奇妙的月份，四星交会带来超强助力，你的事业增长得十分迅速，整个大势在你的掌握中，使你成为超级自信的巨蟹！

巨蟹座本月的好日子

1	2	3▲	4▲	5	6	7	8	9	10■
11	12	13■	14	15	16	17	18	19	20
21■	22■	23	24	25	26■	27	28■	29	30/31

♥爱情 ■事业 ▲健康 ●财富 ✿家庭 ★人际

4月 有强大扩张欲望

本月重点运势

- 继续大展拳脚
- 竞争压力变大
- 放胆向外发展
- 计划可以落实执行

这是你继续大展拳脚的月份，所有星宿齐集“事业宫”，为你送上欢呼！

太阳、水星、木星和天王星继续留在宫内，这一次，又加入了火星！

你的发展越大，招来的竞争也越大，树大招风，这是必然现象呀！

火星的破坏，提示你要更努力，做得更出色，不要轻视敌人的力量。也要留有余地，不要去得太“尽”！

这世界上，敌友只是一线之差。

在月初，金星进入“旅游宫”，使你拥有很好的旅游运，大大增强你的对外发展能力。此刻，星盘的行星全部走到上方，你有强大的向外扩张的愿望，你不妨放胆向外发展，会有意想不到的效果。

到了22日，金星赶赴“事业宫”，送上强大支持，令你的计划可以落实执行，有能力对抗火星威胁。

可以看到，其实你身边一直有很多贵人帮助你实现梦想。你喜欢过群体生活，行运的巨蟹，每次出行总是整个家族全体出动，十分夸张！

巨蟹座本月的好日子

1	2	3	4★	5	6	7✿♥	8	9✿	10
11	12	13	14★	15	16	17♥	18	19	20
21	22■	23■	24■	25■	26	27	28	29	30

♥爱情 ■事业 ▲健康 ●财富 ✿家庭 ★人际

5月 像一场拔河比赛

本月重点运势

- 从工作中得到喜悦
- 建立强大人际关系网
- 竞争激烈
- 身边有强大支持力

你是最喜欢冲锋陷阵的巨蟹！

你全情投入工作，周旋在五星之中，太阳、水星、木星和天王星给你强大创意和能量，使你从工作中得到喜悦，至于火星则扮演大反派，专门捣乱破坏！

下半月开始，金星和水星一起走进“朋友宫”，你很积极地扩张人际网络，聪明的你一定知道，只有建立强大人际关系，才可以令事业更上一层楼。

不过，火星不会轻易让你成功，你要先经过一番奋斗才可以。

火星早已到达“朋友宫”跟你对着干，提示你，建立真正的友谊要付出心思，否则只能换来失望。

这是一个竞争激烈的月份，从星盘看到，对手跟你的实力很接近，像一场拔河比赛，此消彼长。

幸好你身边有强大支持力，而每次你都稍占上风，不过，付出的努力相当大，成功来得一点也不容易呀！

巨蟹座本月的好日子

1	2	3✿	4■	5■	6	7	8	9	10
11	12	13	14	15	16	17	18	19	20★
21★	22	23	24	25	26	27	28	29	30/31

♥爱情 ■事业 ▲健康 ●财富 ✿家庭 ★人际

6月 心灵受到挑战

本月重点运势

- 继续投入激烈竞赛
- 人际关系不尽如人意
- 在灵性上获得提升

你是喜欢比拼的巨蟹，这个月继续投入激烈竞赛之中。

月初，金星与火星在“朋友宫”内互相拉锯，你很努力地打理好人际关系，但结果总是不尽如人意，你要明白欲速则不达。虽然木星也加入，带给你希望，但实际帮助不大。

因此，奉劝你别再花时间处理无聊的人际是非，该放手的时候就放手吧！

10日后，金星、水星及太阳在“心灵宫”交会，有助于你在灵性上获得提升，把之前所有斗争放下，让心灵得到休息。只可惜，火星要跟你比拼到底，不让你喘息！

22日，当火星闯入“心灵宫”，你的耐性受到挑战，很容易为小事大发雷霆，小心过分激动会影响健康！

而你也不甘示弱，水星和太阳赶来照耀“本命宫”，使你看上去神采飞扬，充满自信。

整个月，你周旋在心灵的斗争之中，忘记了真正下苦功，脚踏实地去开创更美好的明天！

巨蟹座本月的好日子

1	2	3✿	4	5✿	6	7	8	9	10▲
11▲	12	13	14■	15■	16	17	18	19	20
21	22	23	24	25	26	27♥	28	29	30

♥爱情 ■事业 ▲健康 ●财富 ✿家庭 ★人际

7月 被人追赶才好运

本月重点运势

- 始积极地思索财政问题
- 一切只在筹备和计划中
- 阻力消除反而却步不前

这个月，你开始积极地思索财政问题，绞尽脑汁来赚取第一桶金！

水星停留在“金钱宫”，反映你内心对金钱的渴望。

不过金星和太阳一直留在“本命宫”，你还没有信心去出击，一切只在筹备和计划中。

而火星整个月都在破坏“心灵宫”，可以看到，最大的发展阻力，来自你自己！

看来你对前景并不太乐观，心中尚有忧虑及疑惑，从本命宫的状态可以知道，客观环境已准备就绪，但你错过了黄金时机！

当有敌人出现，你拼命向前冲，现在阻力已消除，你反而却步不前，大抵好战的巨蟹要遇到敌人才会激发斗志。

活在平淡中的巨蟹，失去人生目标，反而欠缺神采和自信。

巨蟹要被人追赶才好运！

巨蟹座本月的好日子

1●	2●	3	4	5	6●	7	8	9	10
11	12	13	14■	15■	16	17●	18	19	20
21	22	23	24	25	26■	27■	28	29	30/31

♥爱情 ■事业 ▲健康 ●财富 ✿家庭 ★人际

8月 财富健康被翻转

本月重点运势

- 财富健康受到影响
- 渴望打破困局
- 从朋友身上获得帮助

踏入8月，对于巨蟹座是重要关口，因为行星逆转，对你的财富健康造成重大影响！

月初，金星、水星及太阳同时走进“金钱宫”，本来值得高兴，可惜，水星逆转，使你的财富也被翻转！

这个月必须谨慎理财，谢绝一切借贷及投机炒卖。

越贪越贫，这是真理。

另外，海王星在“生死宫”，将严重影响你的健康，而火星火上浇油，整个月在你的“本命宫”燃烧。因此，你必须调理身体，控制情绪，谨记，钱财身外物，健康才最重要。

22日后，金星和太阳转到“沟通宫”，你渴望打破困局，积极向外发展，从朋友身上获得帮助。

你不愧是坚强的巨蟹，没有被困难打倒，反而更积极寻找新的出路，为心灵寻觅新的寄托。

巨蟹座本月的好日子

1	2	3●	4	5●	6	7	8	9	10
11	12	13	14	15✿	16✿	17	18▲	19	20
21	22★	23	24★	25	26	27▲	28	29	30/31

♥爱情 ■事业 ▲健康 ●财富 ✿家庭 ★人际

9月 陶醉在安乐窝中

本月重点运势

- 从外界获得强大支持力
- 家人给你无限量支持
- 健康继续成为头号敌人

你真的走对了路！

当金星、水星及太阳先后进入“沟通宫”，你从外界获得强大支持力，令之前的问题迅速解决。

16日后，金星、水星及太阳移到“家庭宫”，你把全部精神放在家人身上，当三星交会，家人给你无限量支持，使你感到十分满足。

又再一次看到，恋家的巨蟹只要得到家人支持，便可以离开愁城。

这个月，健康继续成为你的头号敌人，火星燃烧“本命宫”，“生死宫”又被海王星翻转了，你要打起精神，谢绝一切危险活动。

20日后，当火星走到“金钱宫”，你的财政再次响起警钟，你是对财富最敏感的巨蟹，可惜越紧张，失去越多。

而从星盘看到，困难越多，越使你眷恋家人的关爱，你似乎对事业、朋友都感到有点失望，乐于陶醉在自我的安乐窝中，寻找心灵安慰。

巨蟹座本月的好日子

1	2	3●	4●	5	6	7▲	8	9	10
11	12	13	14	15	16✿	17✿	18★	19★	20
21	22	23■	24■	25	26	27	28	29	30

♥爱情 ■事业 ▲健康 ●财富 ✿家庭 ★人际

10月 财富消失如流水

本月重点运势

- 心灵最充实
- 财富消失如流水
- 对爱情充满热切期望
- 有机会得到完美爱情

这是你心灵最充实的月份，尽管你的财富消失如流水！

金星、水星、太阳齐集在“家庭宫”，像要开家庭会议，十分热闹。

10日后，三星相继转到“恋爱宫”，可以看到，你对爱情充满热切期望，不惜付出任何代价。

火星猛烈地燃烧着“金钱宫”，若能找到真爱，财富都如过眼云烟！

大情大性，正是巨蟹的另一可爱之处。

星盘上呈现一种简单而宁静的气氛，再看不见之前的你争我夺，互相倾覆，而你的思绪也很集中，很有条理。

虽然财政支出很大，不过千金易得，知己难求呀！

好好享受拥有爱的日子吧，你的恋爱宫非常完整，没有遭受任何破坏，因此，你将有机会得到完美爱情，加油吧，巨蟹！机会只有一次。

巨蟹座本月的好日子

1	2♣	3♣	4♣	5♣	6	7	8	9	10♥
11♥	12	13	14	15	16	17	18	19	20
21	22	23	24	25	26♥	27♥	28♥	29♥	30/31

♥爱情 ■事业 ▲健康 ●财富 ♣家庭 ★人际

有强大工作决心

本月重点运势

- 在事业上创出成绩
- 遇到的阻力也相当多
- 容易与人发生摩擦
- 拥有甜蜜的爱情生活

这个月，你收拾心情，再次投入工作中努力拼搏。

金星及水星在月初一起走进“工作宫”，表现出强大决心，要在事业上创出成绩。

但你遇到的阻力也相当多。

首先要解决财政压力，然后，你又要开始面对烦恼的人事纠纷。

火星在月中转到“沟通宫”，你工作得越投入，产生的人际问题越多，留意，你的过分傲气，往往使你很容易与人发生摩擦。

幸好你一直拥有甜蜜的爱情生活，心灵得到滋润，太阳留在“恋爱宫”，爱情给你很大推动力，使你有信心向前冲刺。

另外，海王星继续逆转，这段时间，你要特别注意健康，小心意外。经常检查身体，舒缓工作压力，都是保障健康的重要方法。

此刻的你，既有工作，也有爱情，已经相当不错，不要忘了世事不可能完美。

巨蟹座本月的好日子

1■	2♥■	3	4■	5♥	6	7	8	9	10
11	12	13	14♥	15	16	17	18●	19●	20
21■	22■	23■	24	25	26♥	27♥	28♥	29	30

♥ 爱情 ■ 事业 ▲ 健康 ● 财富 ✿ 家庭 ★ 人际

12月 幸福的巨蟹

本月重点运势

- 爱情进一步升级
- 烦恼都可以放下
- 人际关系充满困扰

你是幸福的巨蟹，爱情进一步升级，其他的烦恼都可以放下！

金星已经进驻“婚姻宫”，感情发展相当顺利，假如你是未婚巨蟹，这个月有机会打开天窗，这是爱情完美的月份，星盘找不到任何破坏爱情婚姻的力量，只要你恋爱，一定能成功！

不过，热心工作的你，其实未必选择爱情。太阳和水星一直留在“工作宫”，工作和爱情对你同样重要，因此，你未必愿意完全投进婚姻的束缚中。

金星在21日便离开“婚姻宫”，机会稍纵即逝！奉劝你好好把握机会，否则后悔已经太迟。

火星令人际关系充满困扰，再次提示你，这种困扰将一直延续至明年7月才消散，你要有点耐性才可以解决，不要操之过急。

还是先好好地想想你的人生大事吧！

巨蟹座本月的好日子

1♥	2♥	3■	4■	5✿	6	7	8♥	9♥	10
11	12	13♥■	14♥■	15✿	16✿	17	18	19	20✿
21	22	23♥✿	24	25	26✿	27♥	28♥	29	30/31

♥爱情 ■事业 ▲健康 ●财富 ✿家庭 ★人际

狮子座

狮子座热心助人，最不擅长掩饰自己，率直坦白，受朋友欢迎，是社交圈的活跃分子，对朋友十分慷慨。

太阳星座日期：7 月 23 日—8 月 22 日

宫主星：太阳　　**阴阳性：**阳性

三方宫：火象星座

星座图腾：狮子

黄道十二宫的位置：第五个星座

对应身体部位：心脏、背部、肩膀、胸口

幸运颜色：金黄色

幸运宝石：黄金

最佳优点：领导力强、主动积极

最差缺点：态度傲慢、好大喜功

适合职业：大众传媒、休闲、娱乐、演艺事业、投机型金融、证券、赌博、政治、大型机构、灯光、舞台设计

一 狮子座男女

锋芒外露的社交活跃分子

狮子座的最大特征，是做事积极如一头狮子，将锋芒完全外露，真情流露，不懂得收敛。

狮子座热心助人，最不擅长掩饰自己，率直坦白，受朋友欢迎，是社交圈的活跃分子，对朋友十分慷慨。

做事冲劲十足的狮子座拥有用不完的精力，不过对事业野心其实不大，对物质的追求并不炽热，享受过程多于结果，也不善于巩固自己的地盘，很容易将自己辛苦得来的收获，拱手转送他人。

外表刚劲强悍的狮子座其实内心脆弱，甚至不堪一“激”，很容易为小事看不开，大发雷霆，不过很快又雨过天晴。

狮子座富正义感，喜欢锄强扶弱，会为弱势群体呼冤，遇到任何不开心事也会公告天下，不会忍气吞声。好处是不会将屈结积压心中，一定会找机会尽情发泄，不吐不快，缺点是过分注重眼前得失，缺乏长远目光，令人感到缺乏内涵。

好胜心强的狮子座也爱跟别人比拼，有表演欲，是享乐主义者，追求心灵的占有和满足，注重衣着打扮，表情夸张，内心感情丰富，外表玩世不恭，对爱情却非常专一，重视婚姻关系。

罗志祥

狮子男充满正义感，对自己有很高期许，个个有强大野心，并且充满奋进的勇气和决心，他们需要赞美和崇拜的眼神。

王菲

她们性格爽朗，但是相当傲慢，不会轻易低下高贵的头颅，对待爱情有神圣的憧憬，脾气大又极爱面子。

二 2011年狮子座运势

变幻中力求稳定

工作运不错，收入稳定

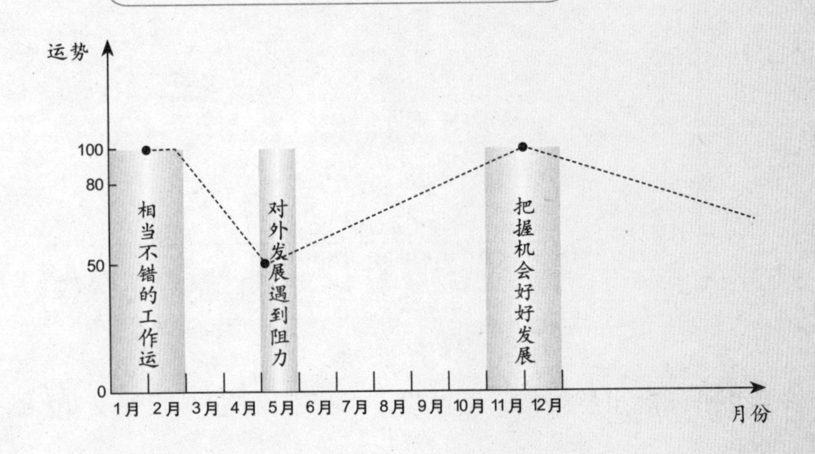

今年狮子座的整体运其实不算太坏，最起码工作照旧，收入也稳定，只要调理好身体，平息感情争执，今年可以平稳过渡。

在年初1月、2月，及年终时的11月、12月，你有相当不错的工作运，尤其在年终时，阻力已消除，可以把握机会好好发展。

5月时，发展机会相当多，可惜遭火星破坏，土星又压着“沟通宫”，对外发展遇到阻力。而你一直拿不定主意，思想左右摇摆，错过黄金机会，是影响你今年发展的主要因素。

今年工作尚算顺利，但发展缓慢，别期望事业上有大动作，人际关系也带来不少烦恼，你要明白，成功最终要靠自己的努力。

今年幸好有木星支撑“事业宫”，从工作中你会得到不少喜悦，天王星也为你带来不少新灵感。

财富运

事业发展缓慢，收入尚算不错

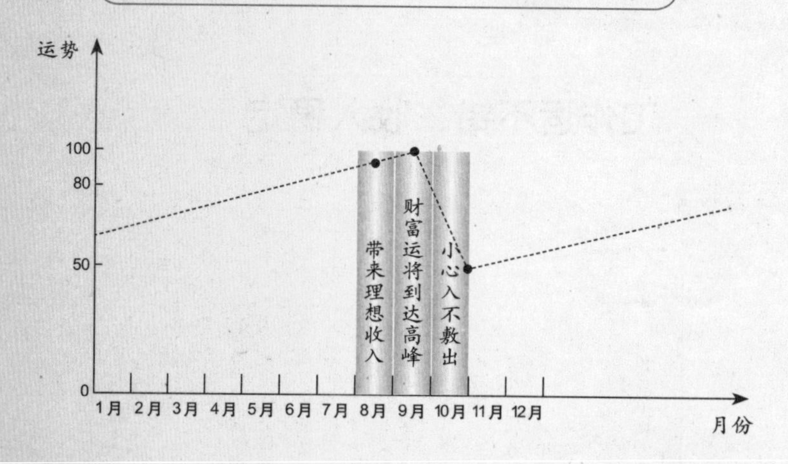

今年事业发展虽然缓慢，不过收入尚算不错；虽然很快又花掉，但也总算有收获吧。

掌管财富的金星在 8 月进入“金钱宫”，为你带来理想收入。到了 9 月，当金星与水星及太阳在宫内交会，财富运将到达高峰。

不过，这段时间你要注意健康，因为金钱与健康总是互对的！彼此势不两立。有钱的人喜欢做慈善，往往也是为了健康延寿。

而你必须注意，从 10 月开始，火星破坏“金钱宫”，历时 8 个月！年终时你要小心入不敷出，提防破财。

爱情运

社交增多，有恋爱的机会

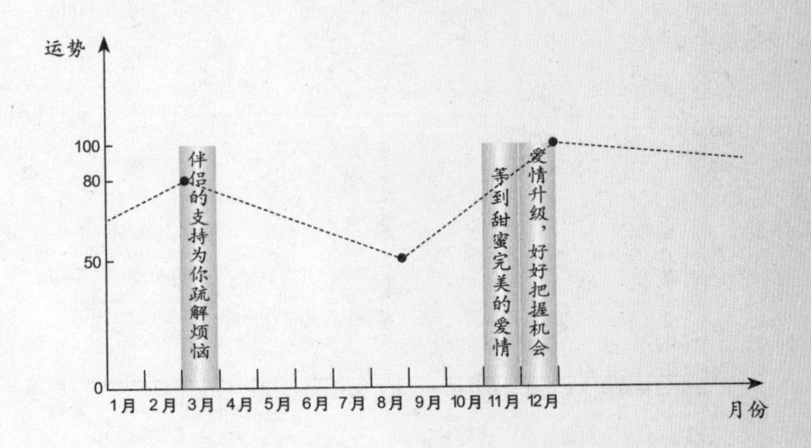

今年你想谈恋爱，机会是有的！

在 3 月，金星短暂停留“婚姻宫”，使你得到伴侣的支持，疏解烦恼。

到了 11 月，金星、水星及太阳齐集在“恋爱宫”，带给你甜蜜完美的爱情。虽然要你等了很久，不过越难得到，才越会珍惜呀！

12 月，金星再次转到“婚姻宫”，可见爱情升级，前景相当乐观。如你仍未婚，好好把握机会。

然而你要留意，在 8 月份，海王星正式告别“婚姻宫”，临别的余波，将令狮子座的婚姻遇到不少冲击和压力，这是最后一震，只要捱过，很快便可以恢复平静。

9 月时，你有相当频密的社交活动，但你似乎不大享受，只感受到压力。

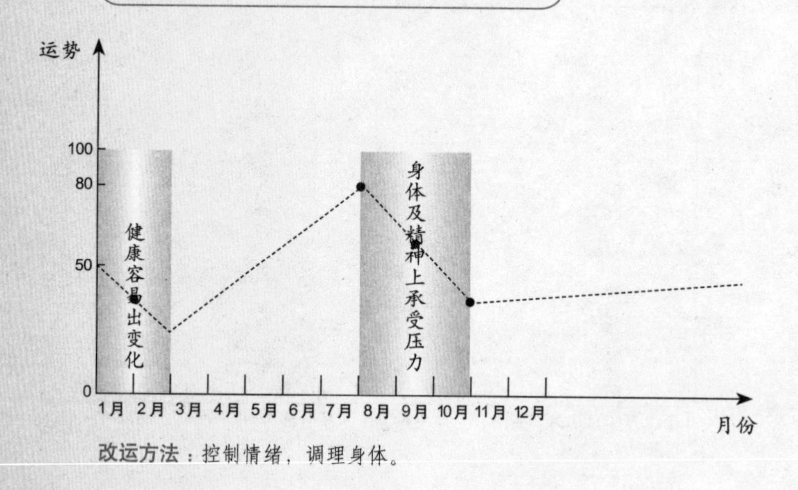

健康是你今年的最大挑战！

主要由于“本命宫”及“生死宫”极不稳定，你的健康及情绪容易出现变化。

年初，天王星在“生死宫”逆转，到了8月，水星在“本命宫”逆转，火星又燃烧“心灵宫”及“本命宫”长达3个月。

这段时间，你可能遇到一些突如其来的变化，使你在身体及精神上承受压力。谨记，要化解危机，必须靠你自己！

你只有控制情绪，放松放开，调理身体，戒除坏习惯，才可以令身心恢复健康，解除威胁，疾病也是一种心魔在作祟！

三 2011年狮子座“十大天机”尽泄

最有情的成功拍档	巨蟹座 天蝎座 双鱼座
最具挑战的竞争对手	白羊座 狮子座 人马座
最得力的星座贵人	双子座 水瓶座 天秤座
最失控的星座克星	金牛座 处女座 山羊座
最经常在你身边出现的人	巨蟹座 处女座
最易犯的禁忌	远足、烧烤、吃辣、驾红色跑车、开放式厨房
最行衰运的打扮	穿红色衣服、背大布袋、烫发
最快转运方法	天天搭船、穿蓝白黑衣服、吃珍珠粉、住在海边
最令你开窍的食物	豆腐、鱼头、猪脑、鸡蛋
最招财的饰物	钻石、铜器、珍珠、斑彩石（海螺化石）

四 狮子座行运大公开

狮子座的表现与众不同

你的双眼有神，鼻子略尖，肤色较白，外形给人超群和高傲的感觉，说话时手势带点夸张动作。你的毛发较浓密，姿势挺直，虽然骨架较小，但肩膀宽阔，动作很灵活，经常露出灿烂的笑容。衣着方面，你很懂得创造自我品位和风格，愿意花钱在名贵的衣服上，也有部分狮子座倾向较传统的衣服，而你的独特形象，往往表现出你的与众不同，令别人对你特别注目。

狮子座的爱情像一团烈火

恋爱中的狮子座像一团烈火，对爱情欣喜若狂，你会甘愿把自己的地位降低，将对方奉若神明，因此当你恋爱失败，你会比其他星座更痛苦，而且失去自信！你对情人十分慷慨大方，不惜任何代价达成目的，你较喜欢选择智能型的伴侣，渴望得到对方扶持，当热恋过后，你享受与情人保持友谊关系。

星座速配排行榜

名次	速配星座	速配率	速配指数
第1名	白羊座	95%	友情：★★★★
			爱情：★★★★★
			婚姻：★★★★
第2名	人马座	93%	友情：★★★★★
			爱情：★★★★★
			婚姻：★★★★
第3名	天秤座	90%	友情：★★★★
			爱情：★★★★
			婚姻：★★★

狮子座的吉祥物

狮子座的吉祥符号是一个象征狮子鼻的倒转U形图案，代表狮子的威严与灵敏。狮子座具强烈的警觉和创造性，朝气蓬勃的向日葵最能象征狮子的无穷活力。你爱吃果仁、柠檬、柑橘类食物，对特色的民族食品或地道小吃情有独钟。

各类虎形饰物、宝石、铜器等，均特别吸引狮子座。工作方面，你喜欢设计首饰、教书，甚至当演员，也很适合当运动员或画家。

工作之余，你喜欢研究占星，也喜欢看话剧和旅游，行运的你会购买餐具、餐巾和计数机。你很注重家居的优雅和独特风格，会摆设各种奇异和少见的装饰，并对自己的家引以为傲，你也喜欢采用水晶和玻璃，但很少采用地毯。

狮子座跟“马肖”有关？

将十二生肖与星座配合，发现狮子座跟“马肖”是共通的！

马人主动又好动，爱好社交生活，做事积极，不懂收藏自己，也最不会保守秘密，马人所知的事，很快便会公告天下！

狮子座渴望表现自己的才华，赢取别人认同，假如失败，会相当沮丧，甚至大发雷霆，陷入歇斯底里中。狮子座大性大情，不爱做思考性工作，有时英勇如一头雄狮，有时畏缩不前，表现出童真和稚气！

向日葵最能象征狮子的无穷活力

五 2011年狮子座每月运程

感情拖泥带水

本月重点运势

- 忙碌地修补爱情
- 失去局势主导权
- 健康容易出毛病
- 感情处于胶着状态

踏入第一个月，你很忙碌地修补爱情！

因为“恋爱宫”被水星倒转了，你迫不及待努力地救亡。

金星在 8 日进入“恋爱宫”，助你化解水星的负面影响，舒缓紧张关系。而水星及太阳跑到“工作宫”，扑灭火星的火焰，调解工作纷争。

当火星转到“婚姻宫”进行破坏，太阳又马上赶到，在宫内努力救火。

可以看到，其实你的方法治标不治本，你一直处于被动位置，失去局势主导权。因此，你不能冲动鲁莽，要心平气和地面对问题，稍一失控，会招来更多是非，令事情更难以收拾。

天王星在“生死宫”逆转，你的健康容易出毛病。

这是一个处处受制的月份，你心中的想望很多，但无法付诸行动，使你感到相当沉闷，无精打采。

而感情问题也处于胶着状态，拖拖拉拉，看不清目标和方向。

狮子座本月的好日子

1	2	3	4	5	6	7	8♥■	9♥■	10■
11	12■	13	14	15	16	17	18	19	20
21	22	23	24	25	26	27	28	29	30/31

♥爱情 ■事业 ▲健康 ●财富 ✿家庭 ★人际

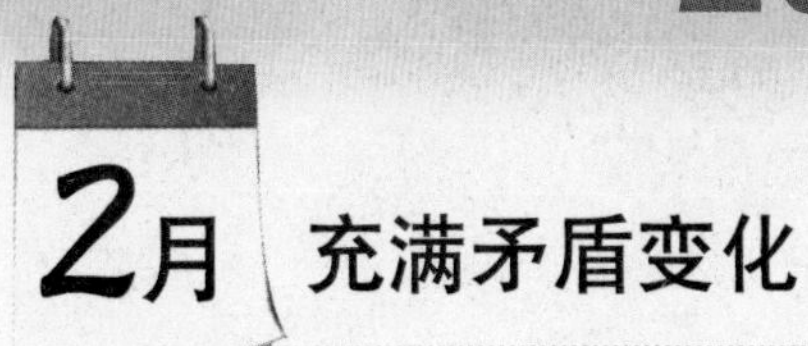

2月 充满矛盾变化

本月重点运势

- 纠缠在工作和爱情中
- 工作上有相当不错的表现
- 情绪起伏不定
- 充满矛盾与变化的日子

这个月，你纠缠在工作和爱情中，有点无所适从。

火星继续破坏“婚姻宫”，而你继续努力地修补与伴侣的关系，水星和太阳一直留在宫内，将破坏力减至最轻微。

金星走到“工作宫”，支撑你在工作上有相当不错的表现。

无论工作抑或爱情，你都竭尽所能做到最好，但从星盘所见，总是吃力不讨好，付出了很多，却得不到实质回报。

天王星一直影响你的健康，使你总是提不起劲，欠缺推动力。

24 日后，当火星、水星及太阳一起走到“生死宫”，在宫内互相碰撞，你的情绪会起伏不定，有时充满神采，灵巧敏捷，有时又缺乏自信，头脑不清。

这是充满矛盾与变化的日子，每一次都被对方占了先机，而你十分被动，无法看清楚大局。

焦急的你除了耐心等待，似乎已找不到其他更好方法。

狮子座本月的好日子

1	2	3■	4■	5	6	7	8	9	10
11	12	13	14	15✿♥	16	17	18	19	20
21	22	23	24	25	26✿♥	27	28		

♥爱情 ■事业 ▲健康 ●财富 ✿家庭 ★人际

3月 沉醉在幻想中

本月重点运势

- 思绪混乱
- 最关心感情问题
- 渴望寻找新天地
- 理想无法付诸行动

踏进3月，你的思绪看来一片混乱，摇摆不定。

整个月，火星都在“生死宫”内燃烧，你必须注意身体及情绪变化，小心头脑混沌会使你做错事。

而金星走到“婚姻宫”，可以看到，你最关心感情问题，想尽法子令婚姻回到正轨。

至于水星及太阳转到“旅游宫”，跟木星及天王星会合，这一刻，你对旧有的生活模式感到十分厌倦，有新的想法和欲望，希望来一次大翻身、大突破！

也可看到你极其渴望向外发展，冲破现有的框框，寻找新天地。

然而一切只是你一厢情愿的想法！

金星留在“婚姻宫”，你忙于挽救婚姻，根本没有多出的时间将理想付诸行动！

你一直沉醉在幻想世界中，心中所想跟现实所做的截然不同。

狮子座本月的好日子

1	2	3	4	5	6	7	8	9	10
11	12	13	14	15✿♥	16✿♥	17	18	19	20
21	22	23	24	25	26▲	27▲	28	29	30/31

♥爱情 ■事业 ▲健康 ●财富 ✿家庭 ★人际

4月 有强大发展野心

本月重点运势

- 出门旅游要分外小心
- 健康警报解除
- 发展大计有机会落实
- 困于思想的变化和动荡中

这个月，你的健康明显好转，但出门旅游仍要分外小心！

金星守护“生死宫”，火星及天王星的破坏已结束，“生死宫”恢复明亮完整，健康警报可以解除。

不过，火星移到“旅游宫”，你出门会遇到较多麻烦，不能掉以轻心。

这时大部分星宿都聚集于“旅游宫”，你有相当多的灵感创意，下决心要改头换面，推陈出新。你也有强大的发展欲望与野心，要打通对外世界。

可是，金星一直留在“生死宫”，而火星又在“旅游宫”内破坏，要落实你心中的改革计划，恐怕还要经过一番努力，才可真正成功！

当金星在22日移到“旅游宫”，你的发展大计有机会落实，究竟你心中的计划是什么呢？可能是惊天动地的大改革，也有可能是一次搬家、装修，或到外地做一次旅游。

而你一直困于思想的变化和动荡中，没有真正地把握机会行动，浪费了青春和岁月。

狮子座本月的好日子

1	2▲	3▲	4	5	6	7	8	9	10
11	12	13	14✿	15✿	16✿	17	18	19	20
21	22	23	24★	25★	26■	27■	28	29	30

♥爱情 ■事业 ▲健康 ●财富 ✿家庭 ★人际

5月 总是用错了方法

本月重点运势

- 思想仍然不稳定
- 还未找到目标和方向
- 工作不顺利
- 很努力地不断突破

星盘上的星继续留在“旅游宫”，你的思想仍然不稳定，不断向各方面探索，却有时因此碰得一鼻子灰！

因为火星一直从中破坏，使你有时经常出错，而你已经变化了两个月，还未找到目标和方向，你似乎有点迷失，开始有点混乱。

16日，金星与水星转到“事业宫”，你终于立下决心，正式在事业上起步，然而火星早已抵达“事业宫”，作出破坏。

敌人早已看穿你的心意，捷足先登，你所做的完全在对方掌握中！

虽然金星、水星和太阳都给你很大支持，但你遇到的障碍也相当多，使你感到力不从心。

这个月你经常奔波劳碌，幸好木星及天王星给你很大支持，使你越忙越开心，从中找到启发和趣味。

可以看到，你很努力地不断突破，尽管每次总是用错了方法。

狮子座本月的好日子

1	2	3★	4	5★	6	7	8	9	10
11	12	13	14	15	16■	17■	18■	19■	20
21	22	23▲	24▲	25	26	27	28	29	30/31

♥爱情 ■事业 ▲健康 ●财富 ✿家庭 ★人际

6月 一切重新开始

本月重点运势

- 积极建立社交关系
- 借贵人助力反败为胜
- 朋友的助力十分有限

你在本月积极建立社交关系，借此打破事业僵局。

火星一直燃烧着“事业宫”，你开始明白，与其力拼，不如改变策略。

金星、水星和太阳已经进入“朋友宫”，在10日，三星交会带来强大能量和希望，你有机会借贵人助力扭转乾坤，反败为胜。

但你最好不要太乐观！因为火星在22日也闯进“朋友宫”，你要明白，其实朋友的助力十分有限，有时敌友难辨，说到最后，一切都要靠你自己！

水星及太阳在下半月已经走到“心灵宫”，提示你，自信心非常重要，与其乱冲乱撞，不如先充实内涵，增加自己成功的本钱，然后全力出击，才更有把握取胜。

成功必须智取，不可以力敌，过去你已浪费了不少精力时间。是时候返回最初的起点，从建立自我开始，反思反省。

让一切重新再开始吧。

狮子座本月的好日子

1	2★	3★	4■	5■	6	7	8	9	10
11	12	13	14	15	16✿	17✿	18	19	20
21	22★	23★	24▲	25▲	26	27	28	29	30

♥爱情 ■事业 ▲健康 ●财富 ✿家庭 ★人际

7月 自信空前膨胀

本月重点运势

- 大局逐渐由你操控
- 向着目标进发
- 健康与心灵上都得到强力支持
- 抓紧时间充电

你在这个月的自信心空前膨胀，星盘上的星已走到属于你自己的正东方，大局逐渐由你操控。

金星和太阳猛烈地照射“心灵宫”，而水星在“本命宫”发出光芒，你是威猛的狮子，堪称万兽之王，不怕任何挑战。

虽然火星破坏“朋友宫”，但你已不再为这些琐事费神。只知向着目标进发，不会畏首畏尾，三心二意。

这才是狮子座应有的气度呀！不管成败，都要有气度，失败了，一样感到光荣。

而你在本月的出色表现，将使你赢取理想回报，使你面对任何困难，都有信心继续奋斗下去。

这是一个心灵加油的月份，无论健康与心灵上，你都得到强力支持。

上天对你还是挺不错的，给你充电和休息的机会，使你充满自信，然后才给你更严峻的考验！

狮子座本月的好日子

1	2▲	3✿	4	5	6	7★	8	9	10
11	12	13	14	15●	16	17	18	19	20
21	22	23	24	25	26	27	28●	29	30/31

♥爱情 ■事业 ▲健康 ●财富 ✿家庭 ★人际

8月 命运跟你捉迷藏

本月重点运势

- 健康与运气都会受到干扰
- 计划或抱负泡汤
- 烦恼相当多
- 陷入矛盾与斗争之中

你原本得到很好的财运和健康，可惜水星和火星令形势逆转！

从 8 日开始，水星在你的“本命宫”逆转，意味着你的健康与运气都会受到干扰，出现不正常变化。

幸好金星与太阳都同时进入宫内，有助减轻压力，不过，你心中的一些计划或抱负可能因此而泡汤了！

你也要留意，火星燃烧“心灵宫”，反映你的心情一般，烦恼相当多，有时可能因此而情绪失控。

从星盘看到，整个月你陷入一种矛盾与斗争之中，可能遇上一些突如其来的变化，或面临一种抉择，使你身心感到不安宁。

命运总爱跟狮子座捉迷藏。

然而你不必太担心，22 日后，当金星和太阳移进“金钱宫”，情况便会开始改善。

金钱的确有助你减轻痛苦，可是，快乐跟你还有一段距离。

狮子座本月的好日子

1▲	2▲	3▲	4	5	6	7	8	9	10
11	12	13	14	15✿	16✿	17■	18■	19	20
21	22●	23●	24●	25●	26	27	28	29	30/31

♥爱情 ■事业 ▲健康 ●财富 ✿家庭 ★人际

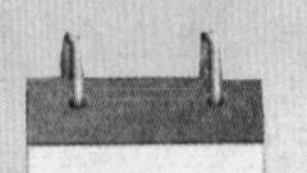

9月 甜苦只是一种心态

本月重点运势

- 情绪尚未稳定
- 面对一些感情抉择
- 金钱和朋友助你渡过难关
- 工作发展相当理想

你的情绪尚未稳定，感情问题可能是导火线。

你仍然要注意身体健康，水星逆转还未结束，而火星燃烧“心灵宫”及“本命宫”，将对你造成进一步打击。

而这种打击很可能来自感情，海王星在“婚姻宫”内逆行，可能你要面对一些感情抉择，使你身心疲惫。

星盘提示你，金钱和朋友可以助你渡过难关。

月初，金星与太阳继续留守“金钱宫”，可以看到，其实工作发展相当理想，收入丰厚，因此，你的烦恼并非来自金钱事业。

下半月，金星、水星和太阳一起跑到“沟通宫”，多参与社交活动，有助于你打开心中愁结，舒解烦恼。

而星盘也提示你，一切烦恼源自你自己，这世界依然美丽，朋友依然对你关爱，人生是甜是苦，在于你自己如何演绎。

狮子座本月的好日子

1▲	2▲	3▲	4▲	5●■	6●■	7●■	8	9	10
11	12	13	14	15	16★	17★	18★	19	20
21	22	23	24	25	26■	27■	28■	29	30

♥爱情 ■事业 ▲健康 ●财富 ✿家庭 ★人际

10月 健康亮起红灯

本月重点运势

- 健康亮起红灯
- 工作一直相当顺利
- 爱情世界出现震荡

整个月，火星都在燃烧“本命宫”，使你的健康亮起红灯！

你必须好好调理身体，保持良好生活习惯。将所有烦恼都放下，享受与家人朋友相聚的喜悦。

其实你的工作一直相当顺利，木星守护着“事业宫”，事业给你带来喜讯。

唯一失控的是你的感情生活，“婚姻宫”被海王星翻转，你的爱情世界将出现新的震荡，产生一种新的面貌，令你感到难以适应。

金星、水星和太阳整个月留在“沟通宫”及“家庭宫”，你极其渴望从家人及朋友身上找到安慰，填补身心的缺口。

你的确是坦率真诚的狮子，当遇到问题，你会尽情倾诉，不会埋藏在内心中独自神伤，这是你的最大优点！

尽管有时你会陷入歇斯底里，但发泄之后，很快又复原，再次轻松地面对人生。狮子座不记仇，不记恨，非常懂得今朝有酒今朝醉。

狮子座本月的好日子

1■	2	3	4✿	5	6✿	7	8	9■	10
11	12	13■	14✿	15	16✿■	17	18	19	20
21	22	23	24	25	26	27	28■	29	30/31

♥爱情 ■事业 ▲健康 ●财富 ✿家庭 ★人际

11月 找到新的恋情

本月重点运势

- 爱情希望变成真实
- 健康明显好转
- 财政严重超支
- 容光焕发，精神抖擞

你等待已久的爱情终于出现了！

金星与水星携手进入“恋爱宫”，把你的爱情希望变成真实！

得到爱情滋润的你，身心也变得健康起来，火星不再破坏“本命宫”，转移到“金钱宫”。这个月，你的健康明显好转，不过财政却严重超支！

有时爱情真的要用金钱来表示呀！

但你也必须控制开支，否则财政出问题，连累爱情也会出问题。

另外，海王星仍然在“婚姻宫”逆转，因此，可能你跟伴侣和好如初，也有可能找到新的恋情。

在星盘上，你的“恋爱宫”十分完整，你对这段感情充满信心。当太阳在 23 日与金星及水星交会，你的恋爱运将达到高峰。

这是值得兴奋的日子！你成功放下过去的烦恼负担，找到新的心灵寄托。

虽然支出增加了，但你看起来容光焕发，精神抖擞，感到前景一片光明！

狮子座本月的好日子

1♥✿	2▲	3▲	4▲	5▲	6	7	8♥●	9	10
11	12	13	14	15	16	17	18	19	20
21	22	23♥✿	24	25♥	26	27	28	29♥	30

♥爱情 ■事业 ▲健康 ●财富 ✿家庭 ★人际

12月 财政一直超支

本月重点运势

- 活力十足
- 爱情事业皆得意
- 财政一直超支

爱情魔力真的很大呀！

金星走进“工作宫”，你看来活力十足，下决心发愤图强。

而水星和太阳留恋着“恋爱宫”，不愿意离开，爱情事业皆得意的你，感到幸福跟你很接近。

到了21日，当金星进入“婚姻宫”，爱情发展进一步升级，而太阳也照耀“工作宫”，使你充满精力干劲，头脑灵活，你真是快乐的狮子！

尽管你的财政一直超支。

火星一直严重破坏“金钱宫”，要直到明年的7月，火焰才会熄灭。

不擅理财和计划的你要好自为之。你一直对金钱缺乏观念，经常只沉醉在眼前享乐，虽然你不断努力，却又不断失去。

你自傲是无敌的狮子，其实最不懂得保护自己，往往使好运无法延续下去。

不过，慷慨大方，不斤斤计较，正是你的可爱之处。

狮子座本月的好日子

1■	2■	3■	4■	5	6	7	8	9	10
11	12	13	14	15★	16	17	18	19	20
21♥✿	22♥✿	23♥✿	24	25	26	27	28	29	30/31

♥爱情 ■事业 ▲健康 ●财富 ✿家庭 ★人际

处女座

处女座做事守规矩，原则性强，是完美主义者，内心热情但外表冷漠，思想偏于保守，做事极富责任感和使命感，小心谨慎，不爱冒险。

太阳星座日期：8 月 23 日—9 月 22 日

宫主星：水星　　阴阳性：阴性

三方宫：土象星座

星座图腾：少女

黄道十二宫的位置：第六个星座

对应身体部位：肠、腹部

幸运颜色：暗灰色

幸运宝石：玛瑙

最佳优点：行事认真，追求完美

最差缺点：吹毛求疵，过于理想

适合职业：保险、会计、文书、编辑、环保、生化科技、福利机构、医疗保健、心理

一 处女座男女

原则性强的完美主义者

处女座所代表的是一种保守含蓄、冷静而单纯的思维。

所谓“静若处子，动如脱兔”，处子必须冷静收敛，才可以守住道德标准和戒条。

处女座做事守规矩，原则性强，是完美主义者，内心热情但外表冷漠，思想偏于保守，做事极富责任感和使命感，小心谨慎，不爱冒险，发展一般较平稳，一生中的起伏不算太大。

心思细密的处女座喜欢冷眼旁观，心中收藏着很多秘密，不轻易向人透露。长期压抑令处女座容易情绪化，甚至有一点自毁倾向，这是处女座令人感到神秘和难以琢磨之处。处女座对自己的要求极高，当无法达到心中理想，会感到十分沮丧。

不过另外，含蓄的处女座也爱刻意表露其独特个性，很注意打扮及别人的看法，是最有洁癖的星座，很讲究清洁整齐。做事有条理，绝对不会偷懒开小差，是老板眼中的模范员工。

重视灵性生活的处女座追求浪漫完美，对爱情幻想特别多，思想单纯，讨厌权术和名利斗争，当找到爱情便会全情投入，全情奉献，善解人意，是值得信任和依赖的好伴侣。

处女座就如一个等待爱情的处子，怀着赤子之心，一生都在追逐个人梦想，无论世界怎样变，处女座依然我行我素，超然物外，不食人间烟火。

张国荣

理性务实、认真负责，富有服务他人的情怀，他们的理想境界就是成为一个能被信任的可靠的完美的男士。

张曼玉

诚恳奉献，挑剔精细，热心的处女女总是毫不吝惜地奉献出她们的关怀和爱心，并不要求回报。

二 2011年处女座运势

赢得非常漂亮

新局面出现，工作压力大

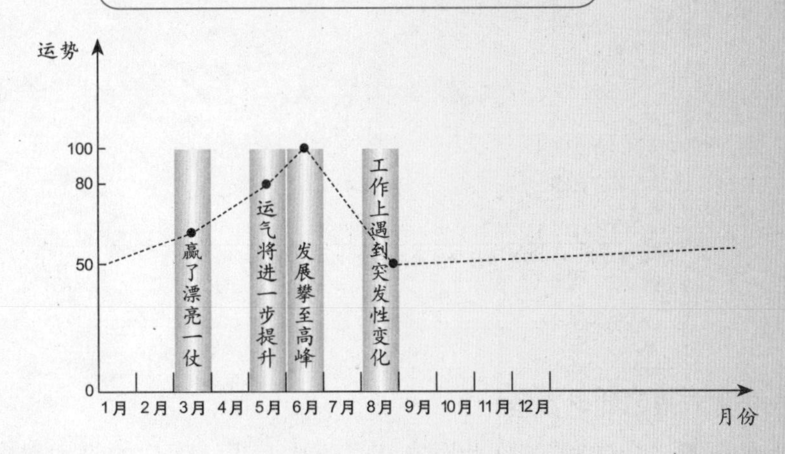

进入新一年，无论工作及爱情方面均会出现变化，有一种全新的局面产生，你的情绪起伏也相当大。

年初，工作阻力相当多，不过3月之后，金星支撑“工作宫”，你在毫无对手的情况下，赢了漂亮一仗！

到了5月份，你的运气将进一步提升,6月，金星、水星及太阳在“事业宫”交会，带来强大支持力，使你的发展攀至高峰。

不过你也要小心，火星在7月破坏“事业宫”，可见竞争相当激烈，稍一松懈，便会被对手有机可乘！

而8月份是另一个关口，海王星在“工作宫”逆转，可能使你在工作上遇到突发性变化。

因此千万不可以轻率，火星在你的“心灵宫”和“本命宫”作出猛烈破坏，提示你，工作压力可能影响你的情绪和健康。

说到底，事业得失只是一场游戏，健康快乐才是最重要的！

财富运

很强的财富运，努力得到理想回报

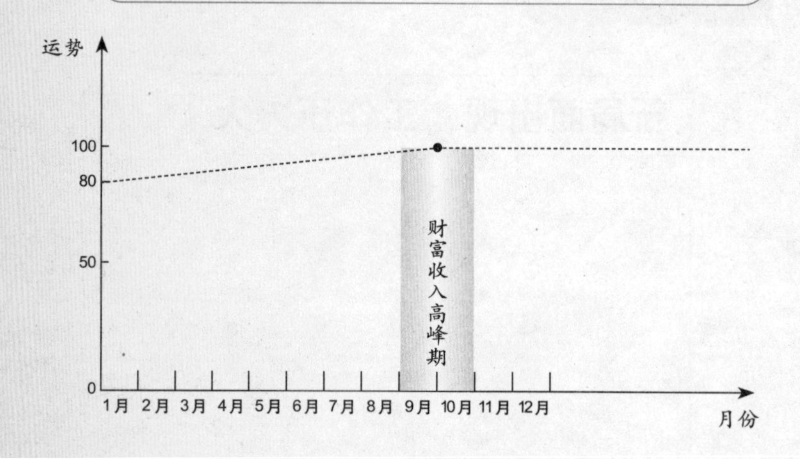

今年你有很强的财富运！

土星压着“金钱宫”，你为财富花了不少心思，而你的努力得到了理想回报。

从9月到10月，金星、水星及太阳在“金钱宫”内交会一起，迸发强大能量，带来可观的财富，大大舒解你的财政压力。

而最重要的，是星盘上找不到破坏财富的力量，“金钱宫”十分完整，因此，你所赚的，都可以全部装进你的口袋中，不怕被人抢去！

这一年，财富真正地跟你做朋友！

爱情运

感情上得到大丰收

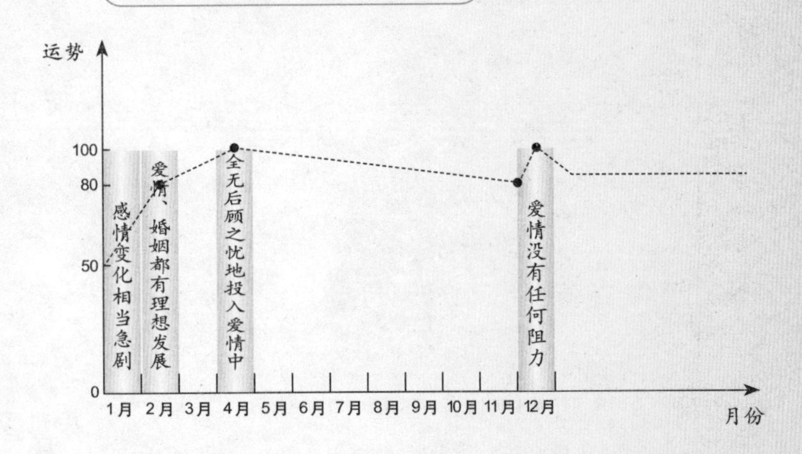

这一年，处女座在感情上得到大丰收！

年初1月时，“婚姻宫”出现变动，“恋爱宫”又被火星燃烧，感情变化相当急剧。

不过2月之后，你拥有很强的恋爱运，爱情、婚姻都有理想发展，你将得到爱情滋润。到了4月，金星进入“婚姻宫”，这时星盘上的阻力已完全消失，你可以全无后顾之忧地投入爱情中，未婚的处女座奋起直追吧！

到了年终12月，金星再次走进“恋爱宫”，为你的爱情加油，而你身边找不到任何阻力，“恋爱宫”看上去漂亮又完美。

这时，家人给你温暖和支持，幸福紧紧围绕着你！

健康压力沉重，要调理身体

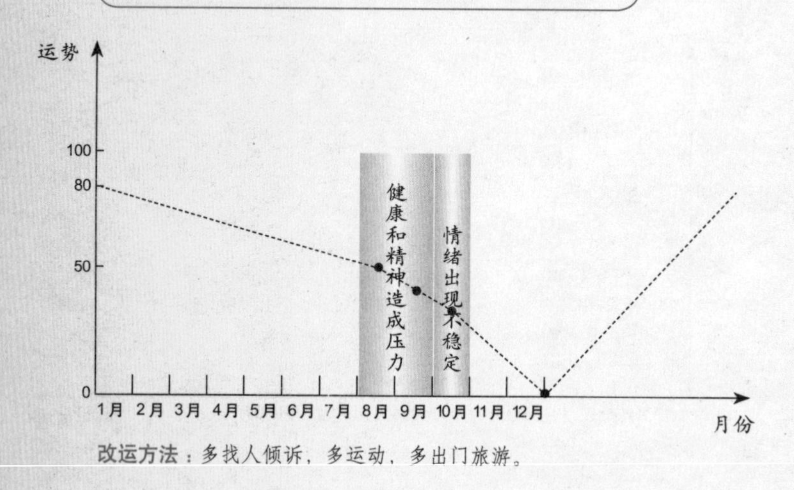

注意，你今年承受的健康压力相当沉重，要加强调理身体，疏导情绪。

从 8 月到 9 月，水星在“心灵宫”逆转，火星燃烧“朋友宫”及“心灵宫”，对你的健康和精神造成压力。

10 月之后，“心灵宫”及“本命宫”受火星严重破坏，小心情绪出现不稳定。

幸好家人及情人都给你庞大的心灵支持，因此，一切问题在于你自己如何面对。

星盘提示你，多找人倾诉，多运动，多出门旅游，都有助于你排忧解困，舒解精神压力。

三 2011年处女座"十大天机"尽泄

最有情的成功拍档	双子座 水瓶座 天秤座
最具挑战的竞争对手	金牛座 处女座 山羊座
最得力的星座贵人	白羊座 狮子座 人马座
最失控的星座克星	双鱼座 天蝎座 巨蟹座
最经常在你身边出现的人	天秤座 狮子座
最易犯的禁忌	滑雪、挂铜钟、口袋放剪刀、大厅放镜子
最行衰运的打扮	穿金戴银、穿黑白色衣服、戴金丝眼镜、戴耳环
最快转运方法	天天晨运、家中种花、穿绿色衣服、挂风水箫
最令你开窍的食物	核桃、甘蔗、猪肝、羊肉
最招财的饰物	红宝石、翡翠、玛瑙、斑彩石（海螺化石）

四 处女座行运大公开

处女座清爽整洁

你的身体与四肢较长，骨骼较突出，头发修剪得很整齐，给人清爽感觉。处女座的眼神很机警，好奇地转来转去，有时又充满盼望，给人不放过身边任何事物的感觉，即使身体停下来，也会不耐烦地扭动双手。你喜欢鲜艳的碎花，衣服保持得很清洁，喜欢穿天然质料的衣服和传统风格的打扮。处女座喜欢高质量、耐穿的衣服，只穿一次便过时的衣服，一定不适合处女座。

处女座的爱情很含蓄

处女座经常将恋爱视为很复杂的问题，恋爱前经过周详考虑，对爱情相当礼让和含蓄。若对方先跟你建立心灵沟通，会更易获得你的爱和信任。即使恋爱中的处女也不会对伴侣过分热情，部分甚至视性为污秽的行为，不过大部分处女座都能以轻松态度与伴侣维持浪漫和多姿多彩的感情关系。

星座速配排行榜

名次	速配星座	速配率	速配指数
第1名	金牛座	95%	友情：★★★★
			爱情：★★★★★
			婚姻：★★★★
第2名	山羊座	93%	友情：★★★★★
			爱情：★★★★★
			婚姻：★★★★
第3名	巨蟹座	90%	友情：★★★★
			爱情：★★★★
			婚姻：★★★

处女座的吉祥物

处女座的吉祥符号是一个英文字母m，旁有一撇向内，象征处女座的含蓄内敛，内心蕴藏着极多秘密。洁净耐看的菊花最能代表处女座的纯真与忍耐。你爱吃果仁、香蕉、奶类食物，对蛋糕和甜品情有独钟。

各款小动物摆设、陶瓷玩具、花瓶、相框等，均特别吸引处女座。工作方面，园艺和医学、图书管理员、警察或大众传播均适合处女座人。

工作之余，你喜欢逛书店或园艺街，行运的你会购买放大镜、相机，也很喜欢到各处旅游。典型处女座的家居色彩漂亮而温馨，小饰物随处可见，你会选用较踏实而耐用的家具，不喜欢奢华闪亮的摆设，柔软的地毯和碎花布料是你的挚爱，家中也会摆放很多植物和油画。

处女座跟“蛇肖”有关？

若将星座跟十二生肖结合，处女座与“蛇肖”是互通的！

蛇人机灵有斗志，适应力强，可以冬眠，也可以一击即中。

处女座喜欢冷眼旁观，也喜欢进行思想采索，在工作上有很广泛的自由度，能够适应多种不同工作。处女座善变，自视清高，不认输，注重自己的外表，很介意别人的评论，对自己和别人的要求都很高，对事情有时会显得过分紧张，令身边的人也紧张起来！

菊花最能代表
处女座的纯真与忍耐

五 2011年处女座每月运程

1月 努力挽救危机

本月重点运势

- 家庭婚姻都会出现变动
- 工作上面对相当大压力
- 金钱带来压力
- 家人给你最大支持

踏入第一个月，受行星逆转影响，你的家庭及婚姻均出现大变化！

水星在“家庭宫”逆转，而天王星也把你的“婚姻宫”翻转了，意味着家庭婚姻都会出现变动，产生新的面貌。

8日之后，金星进入“家庭宫”，显示家庭变化已经稳定下来，家人给你信心和支持。

不过，婚姻危机尚未解除，你要小心应付。

另外，火星燃烧“恋爱宫”，继而破坏“工作宫”，你在爱情及工作上都面对相当大的压力，可以看到，你很努力地作出补救。

水星闪亮“恋爱宫”，而太阳也照耀“工作宫”，你很想面面俱到，不想顾此失彼，努力平衡各方面利益，令每一方都感到满意。

留意土星全年压在“金钱宫”，金钱带来压力，使你在发展中受掣肘。

在这段混乱的日子，谨记，家人给你最大支持，使你可以渡过难关。

处女座本月的好日子

1	2	3	4	5	6	7	8♥✿	9♥✿	10●
11●	12	13	14♥■	15✿■	16	17	18	19	20
21	22	23	24	25	26♥✿	27♥✿	28♥✿	29	30/31

♥爱情 ■事业 ▲健康 ●财富 ✿家庭 ★人际

2月 完全被爱情占据

本月重点运势

- 很强的恋爱运
- 爱情来得不容易
- 工作中竞争相当激烈

这个月，你有很强的恋爱运，整个心灵被爱情占据！

金星把“恋爱宫”照得十分通透，你的感情发展极其理想，情人在你眼中近乎完美。

20日后，水星和太阳闪耀“婚姻宫”，你对婚姻充满憧憬，盼望爱情可以开花结果。当然，上天不会让爱情来得太轻易，以免你不懂得珍惜。

天王星继续在“婚姻宫”逆转，你的爱情仍存在隐忧。24日后，火星移到“婚姻宫”，你的爱情大计将遇到阻力，你要再加把劲，努力争取，才可出现转机！

而你把所有精神都放在爱情上，工作都被你忽略了。火星一直燃烧“工作宫”，水星、太阳在宫内跟火星对抗，争持得相当激烈，可见你的竞争对手还不少呀！

奉劝你爱情事业都要兼顾，才可以真正操控大局。

处女座本月的好日子

1♥	2	3	4♥	5	6	7	8	9♥	10
11	12	13	14♥	15	16	17	18	19	20♥✿
21♥✿	22	23✿	24■	25■	26	27	28		

♥爱情 ■事业 ▲健康 ●财富 ✿家庭 ★人际

3月 工作上稳操胜券

本月重点运势

- 事业上稳操胜券
- 婚姻阻力逐渐消除
- 身边的人给你无限量的支持

这个月，你在工作上先声夺人，控制大局，事业上稳操胜券。

金星走到“工作宫”，使你发挥强大工作力，这时阻力已完全消失，你的表现卓越，这一仗，赢得十分漂亮！

而水星、太阳继续留在“婚姻宫”，跟火星抗衡。加上天王星已完成逆转，婚姻阻力将会逐渐消除。

10日后，水星转到“生死宫”，跟木星及天王星会合，这一刻，你拥有强大力量，有信心战胜任何挑战。

这是自信与表现不断膨胀的月份，你有很强的工作能力，身边的人给你无限量的支持，使你成为强大的处女座，稳如泰山。

而你不愧是冷静的处女座，在过去的日子，你临危不乱，有条理地将问题逐一化解，令对手无可奈何。

28日，当金星移到“婚姻宫”，你将有能力在爱情上赢取另一次胜利！

处女座本月的好日子

1★■	2★■	3	4	5	6	7	8★	9	10
11	12	13	14	15■	16	17	18	19	20
21	22	23	24	25■	26	27■	28♥✿	29	30/31

♥爱情 ■事业 ▲健康 ●财富 ✿家庭 ★人际

4月 终于梦想成真

本月重点运势

- 全情投入爱的世界中
- 有时心烦意乱
- 拥有强大支持和动力

这个月，你的爱情梦想终于可以成真！

金星走到“婚姻宫”，这时，星盘上的阻力已经消除，你可以全情投入爱的世界中，身边找不到任何对手跟你抗争。

火星到达“生死宫”，使你有时心烦意乱，身体也会出现一些小毛病。

不过，太阳、水星及天王星都齐集在“生死宫”内，为你打气，因此，你可以放心，你拥有强大支持和动力，即使有干扰，也只是茶杯里的风波，很快便平息。

从星盘可以看到，这是一个众志成城的月份，所有行星走到同一个宫位上，仿佛所有人齐心协力为相同的目标共同进发。

而你陶醉在甜蜜爱情中，充满自信和神采，身边一切事物都来成就你。

假如你是未婚处女座，好好把握本月的机会，寻找心中的白雪公主或白马王子。机会稍纵即逝！

处女座本月的好日子

1♥	2♥	3	4	5	6	7✿	8✿	9	10
11	12	13	14♥✿	15♥✿	16	17	18	19	20
21■	22■	23	24	25	26	27♥✿	28♥✿	29	30

♥爱情 ■事业 ▲健康 ●财富 ✿家庭 ★人际

5月 生活得十分惬意

本月重点运势

- 生活得相当惬意
- 努力向上奋斗
- 拥有极佳的旅游运
- 为事业发展作出安排

这个月，好运继续跟你做朋友，你一边工作，一边旅游，生活得相当惬意。

在月初，大部分星宿留在“生死宫”，支持你努力向上奋斗，而太阳早已照射着“旅游宫”，带给你向外发展的旅游动力。

16日，金星与水星跟太阳会合，在“旅游宫”发出强大光芒，你拥有极佳的旅游运，思想灵活有创意，有强大意欲向外扩张影响力。

然而你要知道，火星已闯入“旅游宫”，你的发展未必一帆风顺。尤其出门公干，小心遇到突发阻力，使你功亏一篑。

因此你千万别粗心大意，敌人经常潜伏在你身边，在你不经意的时候，向你偷袭！

其实总体形势上你稳占上风，不过小心驶得万年船，星盘提示你，不要被胜利冲昏头脑，经常保持一种危机感，可以使你更上进，把事情做得更完美。

太阳在22日转到“事业宫”，要求完美的你，开始为事业发展作出按排。

处女座本月的好日子

1■	2	3★	4★✿	5✿	6	7✿	8✿	9	10
11	12	13■	14■	15	16★■	17	18	19	20
21	22★■	23	24	25	26✿	27	28	29	30/31

♥爱情 ■事业 ▲健康 ●财富 ✿家庭 ★人际

6月 事业有新曙光

本月重点运势

- 事业发展更进一步
- 朋友助你一臂之力
- 得到贵人强力支持
- 身边尚有不少敌人

踏进6月，太阳、水星及金星已迫不及待聚集于“事业宫”内，一起商议发展大计！

10日，当三星交会，强大推进力将为事业带来新的曙光，令发展向前更进一步。17日后，水星和太阳出现在“朋友宫”，朋友都纷纷来助你一臂之力，使你更有信心向外发展，你的确是计划周详的处女座，将一切事情安排得非常巧妙。

至于你的对手火星，在22日也追赶至“事业宫”，跟你一较高下。但其实你早已打通人际关系，并得到贵人强力支持。

因此，火星迟来一步，被你占了先机，虽然作出破坏，但对整个局势已构不成威胁。

可以看到，你身边尚有不少敌人，对你虎视眈眈。表面风平浪静，其实存在暗涌。稍一不慎，很容易落入圈套。

因此你要加倍小心，敌人出现，是来提示你尚有不足之处，不能自满。

虽然你是醒目的处女座，不过，一山更有一山高呀！

处女座本月的好日子

1	2	3★■	4	5	6	7	8	9	10★■
11	12	13	14	15	16	17★	18★	19★	20
21	22★■	23	24	25	26	27	28	29	30

♥爱情 ■事业 ▲健康 ●财富 ✿家庭 ★人际

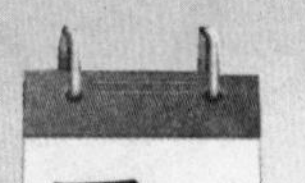

7月 发展人际关系

本月重点运势

- 发展阻力较大
- 朋友给你极大支持
- 心情相当不错

这个月的发展阻力较大，进展较缓慢，幸好朋友给你极大支持。

火星整个月都停留在“事业宫”，干扰事业发展，虽然你之前付出不少努力，但发展有点停滞不前。

而你努力地争取朋友的支持，金星和太阳已经进入“朋友宫”，你花很大精力和心思去维系人际关系，借此化解事业的阻力。

至于水星走到“心灵宫”内，其实你的心情相当不错，有很大信心可以化腐朽为神奇。

事实上，整整上半年，你的条件得天独厚，事业爱情上都有出色表现，使你对前景充满自信。

然而，这世界没有永远的好运。

只要尽力，已经有交代，人生得失有时不用计较太多，特别是固执的处女座，一定要学会放开怀抱，包容宽恕，才可以令好运继续下去。

处女座本月的好日子

1★■	2	3	4♥	5♥	6	7	8★■	9	10
11	12	13	14★■	15	16★	17	18	19	20
21	22	23	24	25	26	27	28★	29	30/31

♥爱情 ■事业 ▲健康 ●财富 ✿家庭 ★人际

8月 心灵被翻转了

本月重点运势

- 心灵受创伤
- 交友要特别小心
- 工作阻力使你烦上加烦

这个月，行星逆转，把你的心灵都翻转了！

星盘上，金星、水星和太阳都进入“心灵宫”内，可惜这一次，水星倒行逆施，使你的心灵受创伤！

而火星跑到“朋友宫”，在宫内造成破坏，从星盘可以知道，人际是非纠纷，是令你受伤的原因之一。这段时间，交友要特别小心，提防被骗或被出卖，减少社交活动，保持低调，让耳根清净，可避免招来不必要的烦恼。

至于另一行星海王星在“工作宫”内逆动，工作阻力使你烦上加烦，是令你心情欠佳的另一原因。

幸好这种情况不会维持太久。

到了 22 日，当金星及太阳照耀“本命宫”，你的自信会大大增强，使你有能力应付人际及工作危机。

星盘上，木星一直守护“旅游宫”，多去外地旅游，有助于你心情恢复畅快。

处女座本月的好日子

1▲	2	3	4	5	6	7★	8	9	10
11	12	13	14	15	16	17	18	19▲	20
21	22■	23	24	25	26▲	27	28	29	30/31

♥爱情 ■事业 ▲健康 ●财富 ✿家庭 ★人际

财富达到高峰

本月重点运势

- 人际关系出现纠纷及摩擦
- 有足够信心面对困难和挑战
- 金钱源源不绝地涌来

踏进9月，虽然逆行余波未了，但一切都朝着好的方向发展。

水星和海王星继续带来负面影响，使你的心情不大好过。

火星在“朋友宫”及“心灵宫”猛烈燃烧，人际关系出现纠纷及摩擦，可以看到，其实你很努力地化解所有问题。

10日，金星、水星及太阳在“本命宫”连成一线，使你得到强大生命力，思巧灵敏，有足够信心面对困难和挑战。你的努力很快便看到结果。

从16日开始，金星、水星和太阳把“金钱宫”照得闪闪发光，24日你的财富到达高峰，金钱源源不绝地涌来，而且，全部装进你的口袋中，没有被人拿走！

其实工作上你一直遇到不少阻力，人际又带来烦恼，土星又压制“金钱宫”，你为金钱绞尽脑汁。

因此，成功非侥幸，只要肯付出，一定有收成。

处女座本月的好日子

1	2	3	4	5	6	7	8	9	10▲■
11	12	13	14	15	16●	17●	18●	19●	20●
21●	22●	23●	24●	25	26	27	28	29	30

♥爱情 ■事业 ▲健康 ●财富 ✿家庭 ★人际

10月 爆发悲观情绪

本月重点运势

- 悲观情绪再次爆发
- 无须为金钱而烦恼
- 非常活跃的社交运

这个月，你的悲观情绪再次爆发，有一种自暴自弃的倾向！

月初，金星、水星和太阳令“金钱宫”继续发出强大光芒，你的财政十分充足，完全无须为金钱而烦恼。

10日之后，三星相继转到“沟通宫”，你有非常活跃的社交运，对外发展得非常顺利。

从星盘看去，所有宫位非常完整，根本找不到任何破坏力量。唯一的破坏来自你自己！

火星猛烈地燃烧“心灵宫”，你看来心有千千结，可能工作上一些阻滞，朋友给你麻烦，情人对你冷淡，种种加起来，使你闷闷不乐。又或者你太幸福了，开始鸡蛋里挑骨头。留意，处女座最易犯这种毛病。

因此你必须学会如何疏导情绪，以免得了金钱，失了健康。小心情绪波动令你百病丛生。

处女座本月的好日子

1●	2	3	4	5	6	7	8	9	10
11★	12★	13★●	14	15	16	17	18	19	20
21	22	23	24	25	26	27	28●	29●	30/31●

♥爱情 ■事业 ▲健康 ●财富 ✿家庭 ★人际

11月 心灵健康便胜利

本月重点运势

- 家人给你很大支持
- 健康大受影响
- 内心充满矛盾争扎

你一直有解不开的心结，幸好家人给你很大支持。

金星和水星走进“家庭宫”，给你大量家庭温暖，融化你的冷漠。

不过，火星继续破坏“心灵宫”，然后走进“本命宫”，使你的健康大受影响。

因此，你必须调理身体，注意健康，好好休息充电，自我增值进修，才可以更有效地对抗火星造成的损害。

而你也要明白，所有破坏力其实源自处女座自己！

你是最爱钻牛角尖的处女座，反应最敏感，一件小事情，便令你生气半天！你必须改善情绪，把一切事情放下，好好享受天伦之乐吧。

家人和伴侣都给你很大的关怀爱护，尽管你的内心充满矛盾争扎，其实这世界一片光明美好，留待你好好欣赏。

即使身体有毛病，只要心灵健康，已经胜利。

处女座本月的好日子

1✿	2✿	3✿	4	5	6	7	8	9	10
11	12	13	14	15♥✿	16♥✿	17	18	19	20
21✿	22	23	24	25	26	27	28▲	29▲	30

♥爱情 ■事业 ▲健康 ●财富 ✿家庭 ★人际

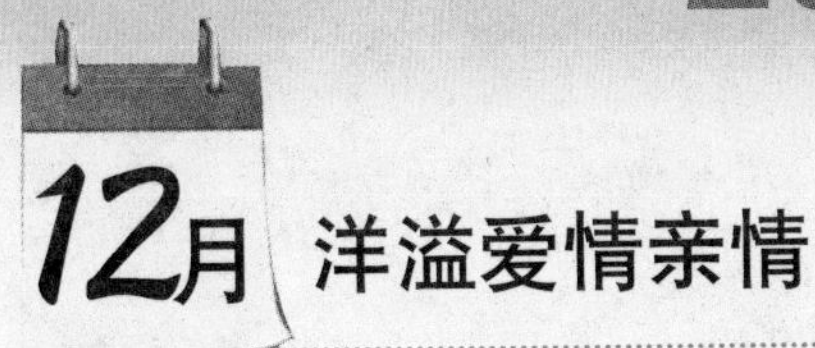

12月 洋溢爱情亲情

本月重点运势

- 家人、爱人助你化解所有困难
- 健康和心情遇到考验

这是相当幸福的日子，家人、爱人紧贴在你身边，助你化解所有困难。

火星在“本命宫”内继续燃烧，这场火焰，要直至明年7月才熄灭。

这段时间，你会遇到更多考验，影响你的健康和心情，然而，只要你保持冷静，以乐观心情面对，一切都可以化险为夷。

从星盘可以看到，家人、情人对你无微不至的关怀。金星早已进驻“恋爱宫”，发出明亮而温柔的光芒，使你心中充满甜蜜。

而水星及太阳留在“家庭宫”，做你最强大的后盾，使你全无后顾之忧。

因此，你要更加爱惜自己呀！想尽一切方法，令自己更健康强大，更充满神采，就是你这一刻的使命。

虽然距离战胜困难还有一段很长的路，但只要肯踏出第一步，已经成功了一半。

与其杞人忧天，自寻烦恼，不如好好感受这个月所接收的爱，温馨动人，充满浪漫，令你荡气回肠。

处女座本月的好日子

1✿	2✿	3	4	5	6	7	8	9	10
11	12♥	13	14★✿	15★	16	17	18	19	20✿
21	22♥	23♥	24	25✿	26	27	28	29✿	30/31✿

♥爱情 ■事业 ▲健康 ●财富 ✿家庭 ★人际

天秤座

踏实、不投机取巧的天秤座做事勤奋，平日不苟言笑，冷静，爱分析思考，具领导才能，一般在年轻时已有不错成就，是当别人上司、老板的最佳人选。

太阳星座日期：9 月 23 日—10 月 23 日

宫主星：金星　　**阴阳性**：阳性

三方宫：风象星座

星座图腾：天平

黄道十二宫的位置：第七个星座

对应身体部位：肾、腰部

幸运颜色：淡蓝色

幸运宝石：珊瑚

最佳优点：公正合理，态度谦和

最差缺点：容易妥协、摇摆不定

适合职业：律师、法律顾问、公关、中介、人力资源、美容、设计、包装、造型、婚姻顾问、咨询、花卉、服饰

一 天秤座男女

富正义感的极度理性主义者

天秤座的标志是象征正义的天秤。

天秤座是最稳打稳扎的星座，做事四平八稳，讲求原则和实际效益，不爱包装，不走快捷方式，是富正义感和公平的星座。

踏实、不投机取巧的天秤座做事勤奋，平日不苟言笑，冷静，爱分析思考，具领导才能，一般在年轻时已有不错成就，是当别人上司、老板的最佳人选。

而个性刚强的天秤座作风果断，敢作敢为，对不公平事绝不容忍，会采取铁腕政策对付。天秤座的女性也十分坚强，豪迈爽朗，作风相当男性化。

对于自己所拥有的一切，包括金钱和爱情，天秤座都比较看得开，拿得起，放得下，不拖泥带水，也不死缠烂打，是极度理性的星座，很少感情用事。

缺点是过分主观，喜欢干涉别人，多管闲事，而且做事过分理智，太依赖规矩，令人生平淡乏味。在感情上，天秤座对伴侣也欠浪漫及细心，生活刻板，欠缺神采和吸引力。

事实上，天秤座相当保守朴素，生活也十分简单，讨厌奢侈浪费，对金钱相当敏感，不会花钱追逐潮流。好处是不浮华，但缺少情趣和爱好，在人际关系上也缺乏感情沟通，往往令天秤座在感情生活上未能尽如人意。

不过天秤座重诚信，言出必行，是值得信赖的拍档和伴侣，从实际例子可以看到，天秤座在事业上的表现一定比爱情上优胜很多，女性天秤座也如此，一般都是事业型、工作狂，不愿意花时间纠缠在爱情中。

刘德华

追求公平正义，友善而谦恭，他们拥有优雅的风度，圆滑而聪明，懂得把握事物的分寸，务求面面俱到。

高圆圆

她们是典型的小资情调主义者，沉湎于欢乐和谐与精致的氛围中，在美丽的细节里弥漫出她们精心与优雅的情怀。

二 2011年天秤座运势

忙乱中稳步向前

事业运

分身乏术，艰苦经营

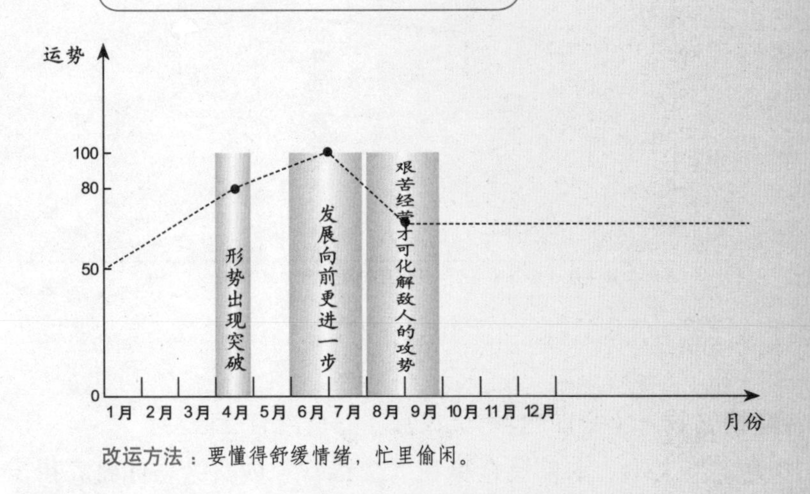

改运方法：要懂得舒缓情绪，忙里偷闲。

今年你要应付的阻力，主要来自天王星和火星。“工作宫”与“事业宫”受破坏，你要花精力逐一摆平。年初，天王星在“工作宫”逆行，与此同时，也要应付家庭及爱情的烦恼，使你分身乏术，有点手忙脚乱。

幸好到了4月，金星照耀“工作宫”，使形势出现突破，到了6月、7月，水星和金星先后进入“事业宫”，给予强大支持，发展可望向前更进一步。不过火星带来相当大压力，从8月到9月，火星燃烧“事业宫”，你要艰苦经营才可以化解敌人的攻势。

今年的发展机会其实相当多，而且集中在上半年，下半年后，由于水星及海王星逆行，加上火星破坏，形势急转直下，你要未雨绸缪。另外，人际关系、爱情均出现问题，你要独力支撑大局，大大增加承受的压力。

因此，你要懂得舒缓情绪，忙里偷闲，才能有更大自信和冲劲来应付未来考验。

财富运

财富收入十分理想

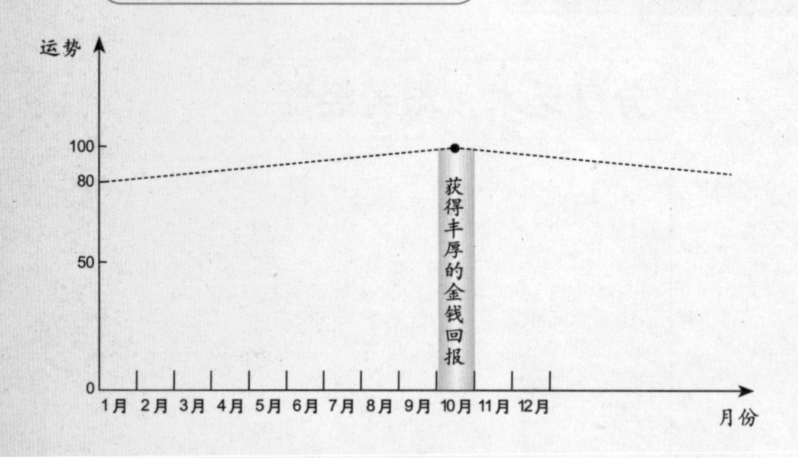

今年财富收入十分理想，“金钱宫”完全没有受破坏！

10 月，当太阳、水星及金星在“金钱宫”内交会，你将获得丰厚的金钱回报。而且，身边找不到破财的力量，可见你是滴水不漏的天秤，把财富保管得非常好。

不过同时，你也要注意健康，火星破坏“心灵宫”，使你的情绪相当低落，星盘再一次说明，金钱未必可以买到健康和快乐！

爱情运

感情波动相当大

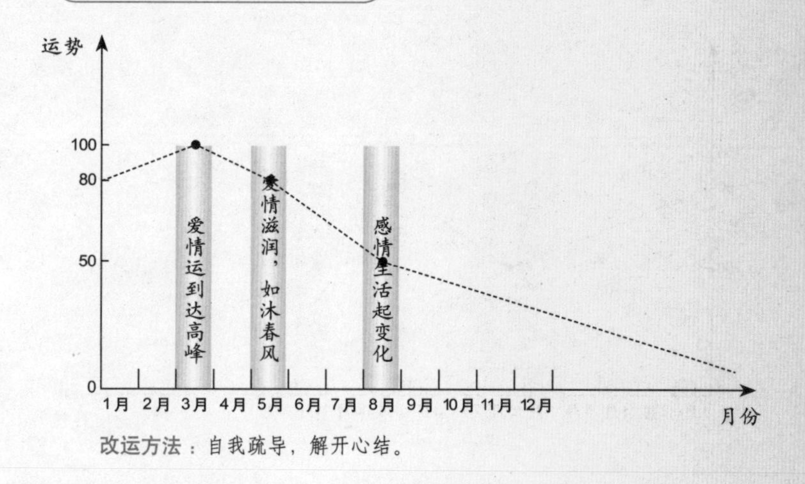

今年你的感情波动相当大，过去的感情方式告一段落，被另一种新的发展取代。

年初，火星焚烧“恋爱宫”，感情出现危机，不过到了3月份，出现五大行星齐集“婚姻宫”的奇景，你的爱情运到达高峰！

从3月到5月，你都得到爱情滋润，如沐春风。加上今年天王星及木星进驻“婚姻宫”，有助巩固婚姻关系，虽然夫妻有争执，最终也可和气收场。

然而你要注意，从8月开始，“恋爱宫”被逆转，感情生活起变化，你要接受现实，从变化中进步。年终时爱情及友情均带来不少烦恼，使你情绪受困扰，你要自我疏导，解开心结，走出感情困局。

健康运

工作过于劳累，带来健康隐患

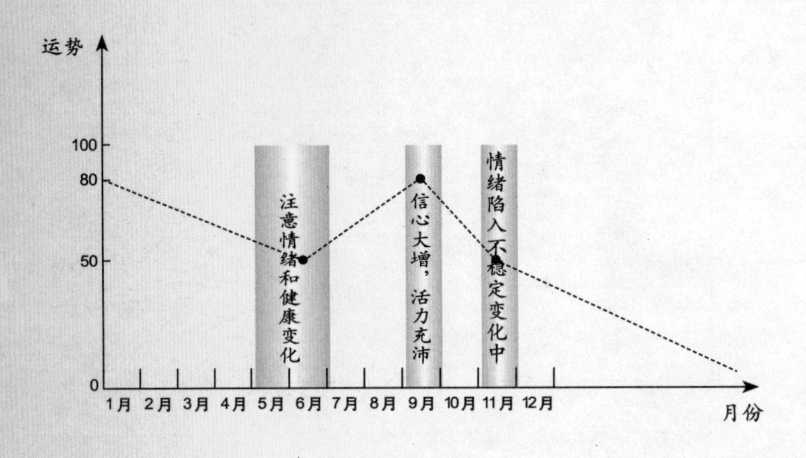

今年得到木星支持“生死宫”，你干劲十足。但土星压抑“本命宫”，承受的压力相当大，时间长了就会成为隐患，要多休息和调理，勿工作过于劳累。

在年中 5 月及 6 月，火星破坏“生死宫”，要注意情绪和健康变化，到了 9 月份，太阳、水星及金星在“本命宫”交会，使你信心大增，活力充沛，分外有光彩。

不过到了 11 月，火星焚烧“心灵宫”，你的情绪陷入不稳定变化中，要一直到明年 7 月才可以解除火星威胁。

三 2011年天秤座“十大天机”尽泄

最有情的成功拍档	金牛座 处女座 山羊座
最具挑战的竞争对手	双子座 水瓶座 天秤座
最得力的星座贵人	白羊座 狮子座 人马座
最失控的星座克星	双鱼座 天蝎座 巨蟹座
最经常在你身边出现的人	处女座 天蝎座
最易犯的禁忌	抽烟、饮酒、袋中放镜子、通宵开灯
最行衰运的打扮	戴金表、穿珠片反光衣服、 胸前插金笔、戴金丝眼镜
最快转运方法	晨运、在东方种花、养兔子、读书
最令你开窍的食物	灵芝、果仁、猪肝、人参
最招财的饰物	绿宝石、翡翠、水晶、斑彩石（海螺化石）

四 天秤座行运大公开

天秤座不拘小节

你的外表温和，不慌不忙，露出友善、同情的笑容，你的轮廓不深，也许基于你的悠闲，会略微发福和肥胖。你的眼神十分稳定，不会东张西望，也不会注意身边细微的地方，给人不拘小节的感觉，虽然你的动作缓慢，但反而表现出你的深度和内涵。衣着方面，简单线条和浅色衣服最适合你，你很注重衣服的质料和剪裁，潮流并不重要，过于华丽的包装反令你生厌。

天秤座追求平静和谐的感情生活

天秤座追寻稳定而恒久的伴侣关系，你对恋爱其实并不太热衷，甚至只为了婚姻而找寻对象。你追求平静而和谐的婚姻生活，最不擅长制造浪漫和惊喜。你经常过分执著地坚持己见，会因此而经常与伴侣争吵，但你很快便忘记不快，因为你最讨厌钻牛角尖，维持世界平衡和稳定是你对爱情的承诺之一。

星座速配排行榜

名次	速配星座	速配率	速配指数
第1名	双子座	95%	友情：★★★★
			爱情：★★★★★
			婚姻：★★★★
第2名	水瓶座	93%	友情：★★★★★
			爱情：★★★★★
			婚姻：★★★★
第3名	狮子座	90%	友情：★★★★
			爱情：★★★★
			婚姻：★★★

天秤座的吉祥物

天秤座的吉祥符号是一个等号式的半圆图案，象征天秤座维持世界的公平和公义。有刺的白玫瑰，能够表现天秤座维护正义的决心和处事的大公无私。你爱吃奇特的水果、蔬菜和鱼类，对茶叶情有独钟。

各款水晶、时钟、音响器材、生肖摆设等，均特别吸引天秤座。工作方面，律师、接待员、代理人等均适合天秤座人。

工作之余，你喜欢运动和旅行，行运的你会行走于公园或沙滩，也很喜欢逛超级市场。典型天秤座的家居会采用大量木质家具，布置极具传统风味，会摆放大型舒适的沙发，衬以不同品种的盆栽做装饰。

天秤座跟“龙肖”有关？

配合中国的十二生肖，会发现天秤座跟“龙肖”是共通的！

龙人目光长远，不拘小节，为长远的目标奋斗，不会斤斤计较，争一日之长短。但有时做事过分认真，令人生太沉重，失去趣味。

天秤座做事有胆识，有魄力，但不够创新和机灵，对爱情也欠缺浪漫激情，由于做事坚定，不屈不挠，一般在事业上都有好成绩，但往往对工作过分投入和热情，冷落了身边的人，因此而惹来投诉。

有刺的白玫瑰能够表现天秤座的大公无私

五 2011年天秤座每月运程

1月 忙得团团转

本月重点运势

- 工作中的争执、摩擦令问题恶化
- 家人、爱人增加了你的烦恼
- 疲于应付各方面的阻力

踏入第一个月，需要处理的问题真的太多了！

水星把“沟通宫”翻转，天王星也把“工作宫”弄得天翻地覆，你要运用最大的忍耐，解决人际及工作上的问题，过去的争执、摩擦只会令问题恶化，令事情陷入僵局，一发不可收拾。

而火星正在破坏你的“家庭宫”及“恋爱宫”，家人、爱人不但没有体谅，反而增加了你的烦恼。

这个月，事业、爱情、家庭及人际各方面均出现阻力，你很努力地应付，从星盘看到，你忙得团团转！

金星、水星及太阳在宫位之间不断变化，你的确用尽心思去化解，尝试很多不同方法，不管成功与否，值得赞赏。

你不愧是勤力又认真的天秤，对待每件事情一丝不苟。

不过，认真的同时，要学会放开和洒脱，这样才不会令争执没完没了，明白吗？

天秤座本月的好日子

1	2	3	4	5	6	7	8	9	10
11	12	13	14	15	16	17	18	19	20
21	22	23	24	25	26	27	28	29	30/31

注：本月运势平平，要学会放开和洒脱。 ♥爱情 ■事业 ▲健康 ●财富 ✿家庭 ★人际

2月 先解决感情纠纷

本月重点运势

- 感情问题很棘手
- 不要期望爱情带来惊喜
- 专心在事业上拼搏
- 工作的摩擦十分多

这个月，你要先解决最迫切的感情问题。

火星把“恋爱宫”破坏得相当严重，水星和太阳转到宫内，忙于作出修补，而金星跑到“家庭宫”，从家庭入手，摆平感情上的问题。

可以看到，你的策略相当成功，这段日子，不要期望爱情带来惊喜，但一场爱情风波总算平息，你可以放下感情包袱，专心在事业上拼搏。

留意，木星一直守护着“婚姻宫”，在任何情况下，婚姻关系带给你支持和喜悦。至于天王星一直影响“工作宫”，这是你下一个需要面对的大课题。

虽然逆转即将结束，但火星又加入破坏的行列，星盘告诉你，问题其实比你想象的更严重！所谓“力不到不为财”，你要真正下一番苦功，才可以令工作取得好成绩。

20日后，太阳和水星转到“工作宫”，火星也紧随，跟天王星在宫内发生碰撞，可以看到，工作的摩擦十分多，很多不同势力互相争持，场面一片混乱。

天生工作狂的天秤，继续努力持平吧！

天秤座本月的好日子

1	2✿	3■	4✿	5✿	6■	7	8■	9	10
11	12	13	14	15	16	17	18	19	20
21	22	23	24■	25✿	26	27	28		

♥ 爱情 ■ 事业 ▲ 健康 ● 财富 ✿ 家庭 ★ 人际

被爱笼罩的日子

本月重点运势

- 工作不得力
- 爱情得到强大推动力
- 找寻心灵上的安慰

这是一个被“爱”笼罩的月份，你心中除了“爱”，找不到其他元素。

当你发现工作上越忙越乱时，你把所有精神投入感情生活中。

金星已经走到“恋爱宫”，你的爱情得到强大推动力，而水星和太阳相继进入“婚姻宫”，与木星及天王星会合，在宫内发出前所未有的强大光芒!

这一刻，你的爱情运到达了巅峰，所有星宿连成一线，令“婚姻宫”变得超级强大!

虽然火星一直燃烧“工作宫”，但完全没有影响你争取爱情的决心。

你已经为工作烦恼奔波了一段长时间，你适时放下，找寻心灵上的安慰，而且非常成功。

这真是千载难逢的机会，太阳、水星、金星、木星及天王星五大行星携手为你送上爱的祝福!

好好珍惜这段日子，幸福有时真的要别人去提醒!

天秤座本月的好日子

1♥	2✿	3	4	5	6♥✿	7	8	9	10
11	12♥	13	14♥✿	15	16	17	18	19	20
21♥	22	23	24	25♥	26	27♥✿	28	29	30/31

♥爱情 ■事业 ▲健康 ●财富 ✿家庭 ★人际

4月 沉醉于工作爱情中

本月重点运势

- 工作上有新的突破
- 做事得心应手
- 婚姻开始变得复杂
- 身心都非常忙碌

来到这个月，工作上有新的突破，使你十分雀跃。

金星在“工作宫”内发出光芒，你有很好的工作运，做事得心应手，如有神助。

之前的阻力已经消除，操控全局的大权再次回到你手中。

至于火星跑到“婚姻宫”内，与太阳、水星、木星及天王星一较高下。这时，你的婚姻开始变得复杂起来，不同的人在互相竞赛，你追我逐，使你有时高兴，有时又相当烦恼。爱情本来就是复杂的学问呀！

整个月，你沉醉在爱情与事业之间，身心都非常忙碌。虽然火星有时带来一些烦恼，但都会变成生活中的点缀。

爱情如果真挚，又怎会被烦恼轻易摧毁呢？

有对手出现，才知道自己的实力有多强。

天秤座本月的好日子

1■	2	3	4	5★	6	7■	8	9	10
11	12	13★■	14	15✿	16♥	17	18★■	19	20
21	22	23	24	25	26★■	27	28	29	30

♥ 爱情 ■ 事业 ▲ 健康 ● 财富 ✿ 家庭 ★ 人际

5月 加强装备自己

本月重点运势

- 上演互相追逐的爱情游戏
- 情绪有时不稳定
- 伴侣可以带给你灵感和欢乐

你的爱情故事一直延至本月。

上半月，行星仍然留在“婚姻宫”内，上演互相追逐的爱情游戏。

下半月后，太阳、金星、水星和火星在“生死宫”内再次碰头，你的情绪有时不稳定，有时又失去动力，头脑不清醒。你的思想已被爱情占据了很久，是时候重新振作起来寻找更多人生趣味了。

这段时间，好好装备自己，太阳、金星和水星给你强大能量，使你可以提升自我，应付未来更多挑战。

如何提升呢？可以多进修学习，增加内涵，也要多运动及调理，增强身体抵抗力，也要集思广益，吸收新信息，这些都可以减轻火星对你造成的影响。

这是反思反省，寻找新灵感的月份，过程中会遇到一些阻力，但只要有信心，问题很快便解决。

本月遇到任何不顺，伴侣可以带给你灵感和欢乐。

天秤座本月的好日子

1♥	2	3✿	4	5	6♥	7	8	9	10
11	12	13♥	14♥	15	16■	17	18	19	20
21	22✿	23	24	25	26■	27■	28■	29■	30/31

♥爱情 ■事业 ▲健康 ●财富 ✿家庭 ★人际

6月 为事业而奔波

本月重点运势

- 为事业而奔波
- 避免工作过于劳累
- 极强旺的旅游运
- 出门要分外小心

你越来越忙碌，经常马不停蹄，为事业而奔波！

太阳、水星和金星都齐集在“旅游宫”，带给你极强旺的旅游运，你有很多发展和改革计划，很想在事业上大展拳脚。

从星盘看到，其实你相当成功，当水星和太阳在下半月移至“事业宫”，你得到更强大支持，可以积极将计划付诸行动。

不过，火星正在破坏“生死宫”，你要注意健康，避免工作过于劳累。

当火星转到“旅游宫”，出门要分外小心，提防意外，发展要按部就班，不能操之过急，否则会招来反效果。

整个月你很用心地发展，但你也要知道，对手的实力跟你不相伯仲，你只能智取，不可以力敌，否则会两败俱伤。

本月木星转到“生死宫”，有助你加强身体健康，有更充沛的活力来应付变化多端的工作发展。

天秤座本月的好日子

1■	2■	3■	4■	5	6	7	8	9	10
11	12	13	14	15★	16★	17	18	19	20
21	22	23	24	25▲	26▲	27▲	28	29	30

♥ 爱情 ■ 事业 ▲ 健康 ● 财富 ✿ 家庭 ★ 人际

7月 事业发展如火如荼

本月重点运势

- 事业发展得如火如荼
- 计划遇到阻力
- 表面平静，其实暗藏危机
- 人际关系不够稳固

工作狂热的你，把全副精神投入事业及社交中。

金星和太阳把光芒转向“事业宫”，事业发展得如火如荼，工作占去你所有空间，而水星闪亮“朋友宫”，你积极地通过朋友打通对外关系。

然而，从星盘看到，朋友对你的帮助不大，火星燃烧“旅游宫”，将令一些计划遇到阻力或告吹。这个月表面平静，其实暗藏危机。

也许你太投入工作，忽略了一些因素，使你未能客观地分析，有些地方判断错了，令对手看穿你的弱点。

而你是固执主观的天秤，虽然果断英明，但有时欠灵活变通，做事手法太刚强，不够柔顺，使你的人际关系不够稳固。

无论如何，这是充满机会的月份，有斗争是必然的，有竞争才有进步，好好把握机会。困难越多，代表未来成就越大！

天秤座本月的好日子

1■	2■	3■	4■	5	6	7	8	9	10
11	12	13	14	15	16	17	18	19	20
21	22	23	24	25	26■	27	28	29■	30/31

♥爱情 ■事业 ▲健康 ●财富 ✿家庭 ★人际

8月 充满挑战的日子

本月重点运势

- 人际关系生变
- 爱情出现风波
- 对事业失去信心

这个月充满挑战！

水星将你的“朋友宫”翻转了，你辛苦建立的人际关系一下子被推翻。

而海王星在“恋爱宫”内逆行，感情出错，意味着你要作出抉择和安排，平息爱情风波。这一刻，朋友及情人都给你带来麻烦，使你感到相当孤独，知己难求呀！

火星将“事业宫”燃烧起来，你对事业失去信心，与其力拼，不如保留实力，伺机再出击。

从星盘看到，你已经失去局势主导权，爱情、事业和朋友都跟你过不去，你的自信也开始动摇。机警的天秤，快点采取措施补救吧！

金星和太阳原本留在“朋友宫”，其实你为朋友付出了很多，22 日后，金星跟太阳转到“心灵宫”，你终于明白，与其靠别人，不如靠自己！

先控制自己的情绪，保持冷静，才有机会反败为胜。

天秤座本月的好日子

1✿	2✿	3	4	5	6	7	8	9	10
11	12	13	14	15	16	17	18	19	20
21	22	23	24	25	26	27■	28■	29■	30/31

♥爱情 ■事业 ▲健康 ●财富 ✿家庭 ★人际

9月 在风雨中向前进

本月重点运势

- 朋友、情人带来烦恼
- 身边出现强大支持力
- 信心很重要

你果然是勇敢果断的天秤，很快将局势稳定下来！

虽然火星继续破坏“事业宫”，朋友、情人照旧给你带来烦恼，但金星、水星、太阳已被召到“心灵宫”，10日，当三星交会，耀眼的光芒令所有晦气消散。

16日后，三星再转到“本命宫”，那时候，你拥有强大自信，身边再次出现庞大支持力，使你有能力操控大局。

因此，这是关键性的月份，星盘提示你，只要令自己强大，敌人便知难而退，无论遇到任何困难，不要输掉自己的信心！

火星在20日转到“朋友宫”，敌人又来干扰你。

但其实你早有准备，可以看到，你的立场十分坚定，完全没有被外来是非噪音影响。

外面的世界有很多风风雨雨，但你仍然是快乐自信的天秤，向着成功一步一步迈进！

天秤座本月的好日子

1	2	3	4	5	6	7	8	9	10★✿
11	12	13	14	15	16★■	17	18	19	20
21	22	23	24	25	26	27■	28★■	29	30

♥爱情 ■事业 ▲健康 ●财富 ✿家庭 ★人际

10月 财神来到你的家

本月重点运势

- 财运非常好
- 表现非常坚强
- 敌人带来阻力

这个月，财神爷来到你家中，为你送上惊喜！

你一直都表现得非常坚强，金星、水星和太阳一起守护着“本命宫”，使你看上去神采飞扬，魅力不凡。

火星燃烧着“朋友宫”，敌人围伺在你身边，提示你不要松懈，不要轻敌，把事情做得更好是你的本分。

你这样去想就对了！因为你付出越多，收成越丰厚。

10日后，金星、水星和太阳便会跑到“金钱宫”，把一堆一堆的财富送到你家中！

“金钱宫”发出闪闪金光，一点瑕疵也看不见，里面的财富全部属于你，没有其他人可以闯入！

你是天生赚钱的能手，更加是储财高手，最节俭，最不懂消费。

天秤座本月的好日子

1	2	3●	4●	5●	6	7	8	9	10●
11●	12●	13●	14	15	16	17	18	19	20
21	22	23	24	25	26■	27■	28	29	30/31

♥爱情 ■事业 ▲健康 ●财富 ✿家庭 ★人际

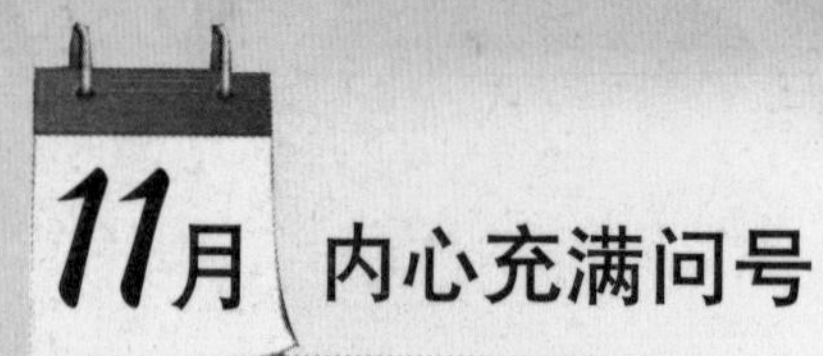

11月 内心充满问号

本月重点运势

- 社交生活忙碌
- 情绪出现波动
- 人际关系不错

事业成功后，社交生活又开始忙碌起来。

金星与水星一起走到“沟通宫”，你要积极向外扩充发展，寻找新机会。

不过，遇到的阻力也不少。

火星仍然对“朋友宫”产生破坏力，12 日，火星转到“心灵宫”，你的情绪出现波动。明显地，人际上仍存在不少问题，使你感到心烦意乱。

另外，海王星仍在“恋爱宫”逆行，爱人对你不谅解，使你的心情大受影响。

可以看到，你一直很努力地建立人际关系，而且成绩不错。不过，你的内心深处存在很多问号，使你心事重重。

事实上，天秤座的你有时过分现实主观，太讲求原则，欠缺幽默感，容易令人吃不消！

当你发现爱情、朋友都使你不如意，你开始寻求家人支持，寻找心灵寄托。

天秤座本月的好日子

1	2	3	4	5★	6★■	7★	8	9	10
11	12	13	14	15	16	17	18	19	20
21	22	23	24✿	25★	26	27★	28✿	29✿	30

♥爱情 ■事业 ▲健康 ●财富 ✿家庭 ★人际

12月 喜悲由自己创造

本月重点运势

- 心中充满矛盾
- 家人给你很大助力
- 忙于交际应酬
- 爱情仍处于冷战期

这个月，你心中充满矛盾！

金星转到“家庭宫”，家人给你很大助力，使你感受到家庭的温暖。

水星和太阳留在“沟通宫”，你没有放弃机会，花很多心思打通对外关系，忙于交际应酬。

但火星揭穿你的内心世界！

你没有因此而得到喜悦，反而感到压力重重，明显地，现实跟你心中的理想还差得很远呢！

海王星继续逆转，你的爱情仍处于冷战期，相信这是你失望的另一原因。

可以看到，其实你的心情相当混乱，有时想事业，有时想爱情，有时想退隐，有时想出击。你不断改变方向和目标，但始终无法获得满足感。

火星一直破坏你的“心灵宫”，要到明年 7 月才结束。这段时间，你的头脑会比较不清醒，容易做错事。

谨记，一切喜悲其实都由你自己创造。

天秤座本月的好日子

1	2✿	3✿	4	5	6	7	8	9	10
11	12	13	14★	15★	16	17	18	19	20
21	22	23	24	25	26	27	28	29	30/31

♥爱情 ■事业 ▲健康 ●财富 ✿家庭 ★人际

天蝎座

天蝎座拥有超强自信心，天不怕，地不怕，做事最狠，也最有胆识，无论外表美丑，都散发一种独特气质和吸引力，令身边的人对其又爱又恨。

太阳星座日期：10月24日—11月22日

宫主星：冥王星　　阴阳性：阴性

三方宫：水象星座

星座图腾：蝎子

黄道十二宫的位置：第八个星座

对应身体部位：生殖器官、神经系统

幸运颜色：黑色

幸运宝石：黑曜石

最佳优点：意志集中，坚持到底

最差缺点：嫉妒心强，占有欲强

适合职业：税务、调查、化验、保险、理财顾问、资源回收、心理、生化、医疗

一 天蝎座男女

活在激情和矛盾中的神秘人

天蝎座的标记是一只蝎子。

蝎子是一种有毒的昆虫，专门吸血，当找到猎物，会咬住不放！

天蝎座是天赋才华特别多的星座，喜欢研究一些古怪及冷门学问，个性也相当极端，爱憎分明，会自恃本身才华，而忽略其他人的感受。一旦定下了心中目标，便锲而不舍地追求，不会半途而废，是自我中心主义极浓厚的星座。触觉敏锐的天蝎座警觉性十分高，经常向四周不断探索，危机感相当重，具有高度集中的专注力，心思细密，富创业精神，一般在事业上都有理想成就，特别在文化艺术方面成就十分高超。

十二星座中，天蝎座拥有超强自信心，天不怕，地不怕，做事最狠，也最有胆识，无论外表美丑，都散发一种独特气质和吸引力，令身边的人对其又爱又恨。

天蝎座对朋友热情如火，对仇人冷若冰霜，一生都活在激情和矛盾中，占有欲十分强，报复心也特别强。将这种不屈精神发挥在工作上，可以创造出惊人成就，但若错误运用，便会产生一种极端思维，是天堂还是地狱，只在一念之间！唯美主义的天蝎座爱美，爱包装，喜欢享受人生，追求自我价值和意义，财运和健康都特别好，但情绪经常起伏不定，思维经常变化，令人难以捉摸。天蝎座的本命星是冥王星，这是一颗距离地球最遥远、充满神秘和灰色地带的行星，天蝎座一生都夹杂在光明与黑暗的不同层面中，令人猜不透其虚实。

木村拓哉

他们不太容易接近，并且习惯保持沉默，他们就像海明威笔下描述的冰山，只露出1/8，剩下的大部分都在内心潜藏。

林青霞

她们除了拥有魅惑至深的性感天资外，更多了许多敏锐直觉，善于观察和捕捉别人稍纵即逝的情感。

二 2011年天蝎座运势

拥有健康财富

事业遇到的阻力相当多

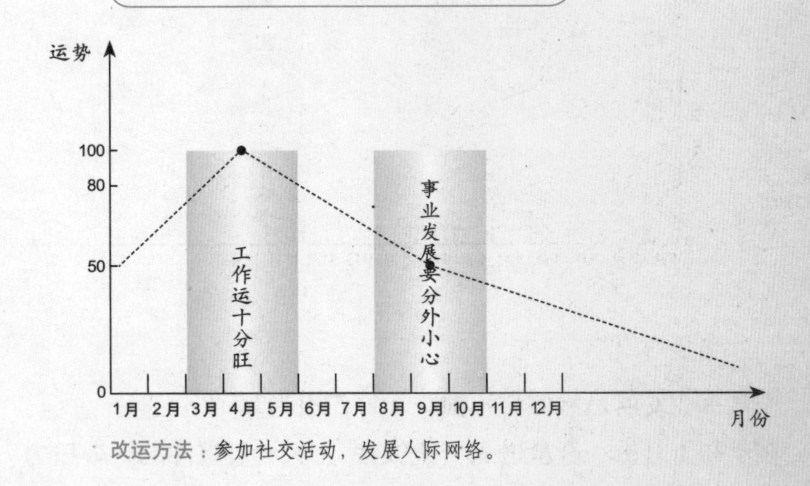

改运方法：参加社交活动，发展人际网络。

今年你的工作十分忙碌，但“事业宫”遇到的阻力相当多，你最好有点心理准备，今年事业会遇到一个小灾难，令好梦成空！

但谨记，一切困难只是暂时性的，由于木星和天王星支持“工作宫”，你的工作表现理想，回报还不错呢！

从 3 月到 5 月，太阳、水星、木星和天王星纷纷进入“工作宫”，你的工作运十分旺，进度相当理想。

不过到了 8 月，水星在“事业宫”逆转，加上火星也燃烧“事业宫”两个月，从 8 月一直到 11 月，事业发展要分外小心，提防一着不慎满盘皆输。

因此，8 月之后，最好先冷静下来，从长计议，以免做多错多。

这段时间，最好趁机会增值进修，参加社交活动，发展人际网络，建立事业基础，借此舒缓紧张情绪。

财富运

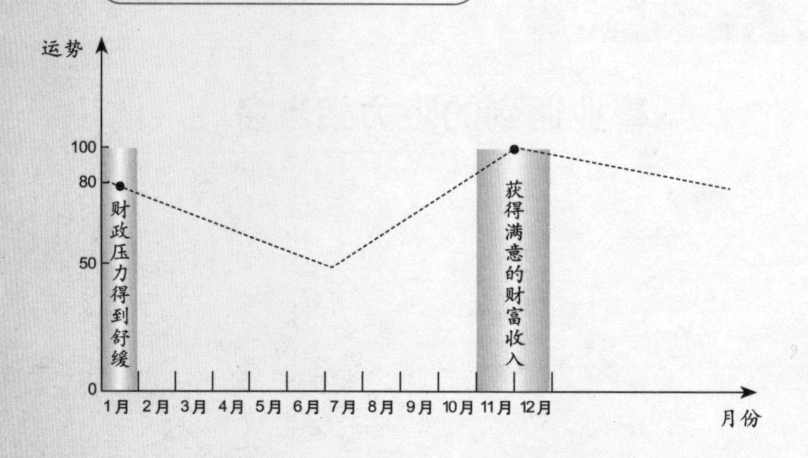

今年事业发展虽然停滞不前，幸好回报尚算不俗。

在年初 1 月份，金星进入“金钱宫”，大大舒缓你的财政压力。

到了年终 11 月和 12 月，金星、水星和太阳一起照耀“金钱宫”，使你获得满意的财富收入。

而且“金钱宫”看上去非常完整，找不到破财压力，善于计划财富的你，把财富保管得十分妥当，敌人找不出破绽。

爱情运

感情烦恼很多，爱情不长久

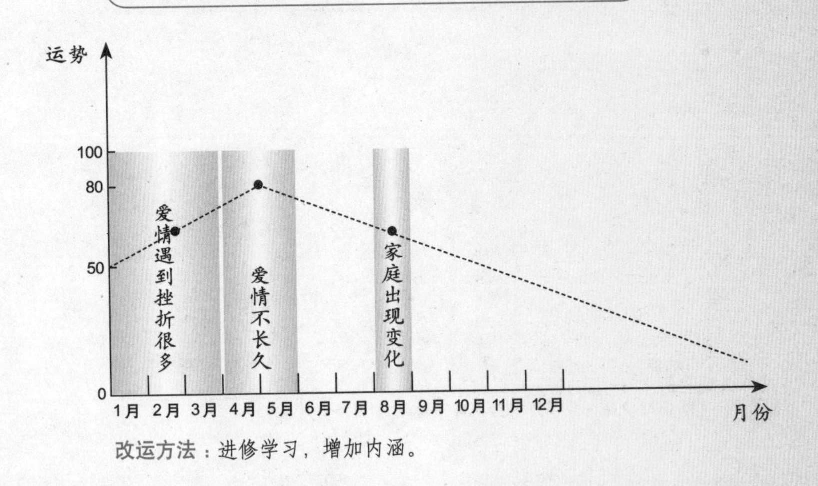

改运方法：进修学习，增加内涵。

今年“婚姻宫”及“恋爱宫”均遭受火星破坏，已婚的天蝎座要努力修补关系，未婚的话，今年交白卷机会很高。

从年初1月到3月，天王星在“恋爱宫”逆转，加上火星又来破坏，爱情上遇到的挫折相当多，要成功，看来真的不易呀！

到了4月、5月，金星先后到达“恋爱宫”及“婚姻宫”，使你得到爱情滋润，但难以维持长久。

下半年你一直为事业奔波，感情一片空白。8月份受海王星逆转影响，家庭会出现变化，令你感到困扰。

今年感情烦恼相当多，家庭生活也将出现较大变动，朋友似乎越帮越忙，奉劝你还是多抽时间静下来，进修学习，增加内涵，思考未来的发展方向。

健康运

整体健康良好，有不少忧虑及烦恼

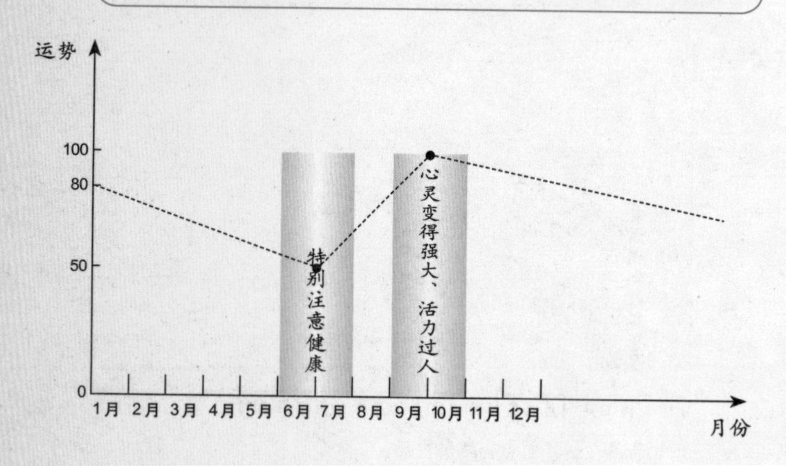

今年土星继续压在“心灵宫”，天蝎座依然心有千千结，有不少忧虑及烦恼。

不过你的“本命宫”却十分旺盛，完整无缺，特别从9月到10月，金星、水星和太阳连成一线，使你的“心灵宫”及“本命宫”变得超级强大，活力过人。

今年你的整体健康相当良好，精力旺盛，唯一要小心的是6月至7月份火星燃烧“生死宫”，那段时间要特别注意健康。

三 2011年天蝎座“十大天机”尽泄

最有情的成功拍档	白羊座 狮子座 人马座
最具挑战的竞争对手	双鱼座 天蝎座 巨蟹座
最得力的星座贵人	双子座 水瓶座 天秤座
最失控的星座克星	金牛座 处女座 山羊座
最经常在你身边出现的人	人马座 天秤座
最易犯的禁忌	早上洗头、养鱼、住向海单位、摆龙形饰物
最行衰运的打扮	戴黑超、穿黑白色衣服、挂钻石胸针、戴珍珠耳环
最快转运方法	每天煮早餐、挂八骏图、养猫狗、通宵开灯
最令你开窍的食物	核桃、鸭头、红枣、羊肉
最招财的饰物	宝石、琥珀、玛瑙、斑彩石（海螺化石）

四 天蝎座行运大公开

天蝎座过得很快活

你的前额较阔大，眼神锐利，颧骨较高，神态像只老鹰，有时又像一只灵敏的警犬，给人饱经风霜，但过得很快活的感觉。你的发质较硬，不论是否流行，你爱穿黑色皮衣和紧身牛仔裤，也很喜欢绸缎和天鹅绒。你不喜欢传统打扮，有时甚至穿得十分夸张或性感，吸引别人的目光，充分表现你的强烈个性。

天蝎座的爱情十分丰富

天蝎座爱得相当激烈，会奉献许多心力去维系彼此的长久关系，最大缺点是妒忌心强，给人偏激和挑剔的感觉。你的精力非常旺盛，感情也十分丰富，会通过恋爱把内心世界发泄出来，情绪有时会过于激动。天蝎座是相当忠心的伴侣，只要找到与自己一样热情的另一半，便有机会维持和谐美满的爱情和婚姻。

星座速配排行榜

名次	速配星座	速配率	速配指数
第1名	双鱼座	95%	友情：★★★★
			爱情：★★★★★
			婚姻：★★★★
第2名	巨蟹座	93%	友情：★★★★
			爱情：★★★★★
			婚姻：★★★★
第3名	狮子座	90%	友情：★★★★
			爱情：★★★★
			婚姻：★★★

深红色的天竺葵最能
表现天蝎座热烈的感情

天蝎座的吉祥物

天蝎座的吉祥符号是一个英文字母m字，旁有一箭头指向上，象征天蝎座的激情和外向，与处女座的内敛刚好相反。深红色的天竺葵最能表现天蝎座热烈的感情。你爱吃丰富的美酒佳肴，对番茄、葡萄酒、香料等均情有独钟。

各款宝石、昆虫饰物如甲虫、蝎子的胸针、领带夹等均特别吸引天蝎座。工作方面，你很适合当侦探或军人，也适合从商、当研究员，爱钱的你从事金融业十分不错。

工作之余，你喜欢看侦探小说、赛车、钓鱼、集邮或储不同国家纸币，行运的你会买酒、买影碟或搜罗各种新奇玩意。典型天蝎座的家居会采用较深颜色，十分重视形象和气派，沙发非常大而柔软，地毡也特别厚，彩色玻璃、古董铜器、海报或绘画等均会在你的家中出现。

天蝎座跟“兔肖”有关？

分析十二生肖与星座，会发现天蝎与“兔肖”是共通的！

兔人专长极多，自视清高，但做事没长远计划，容易暴躁，欠包容力，只沉醉于眼前风光。

天蝎是天赋才华极多的星座，跟兔人一样，外貌相当吸引，有一种特殊魅力，也有部分天蝎相当丑陋，表现出好坏两种极端。天蝎座享受活在一种极端的思维和生活中，爱憎分明，重视享乐，追求肯定自我存在的价值，对别人却相当冷漠，仿如活在世外的高人，对社会的责任感和使命感都不太强烈。

五 2011年天蝎座每月运程

1月 解铃还需系铃人

本月重点运势

- 感情上遇到不少折挫
- 财政状况大为改善
- 人际关系不少摩擦

踏进第一个月，金钱和爱情都面临考验！

承接去年的余波，水星在“金钱宫”逆转，而“恋爱宫”也被天王星翻转，使你在过去的日子，财政支出大量，感情上遇到不少挫折。

幸好8日之后，金星进入“金钱宫”，你有可观的进账，使财政状况大为改善。

可是感情方面，很抱歉，毫无起色，请继续忍耐吧。

你要知道，“沟通宫”与“家庭宫”被火星破坏，无论在对外与对内的关系上，都出现不少摩擦，这个月，情人、家人与朋友一起找你麻烦！

高傲的天蝎，看来你要好好反思，找出原因。

月中后期，水星走到“沟通宫”，而太阳也照耀“家庭宫”，可以看到，你尝试努力地解决问题。

这是充满人性斗争和矛盾的月份，解铃还需系铃人，一切烦恼都因你而起，最终当然也要由你来亲自化解！

天蝎座本月的好日子

1	2	3	4	5	6	7	8●	9●	10●
11	12	13	14	15	16	17	18✿	19✿	20
21	22	23	24	25	26	27♥	28	29	30/31

♥爱情 ■事业 ▲健康 ●财富 ✿家庭 ★人际

2月 感情互相竞赛

本月重点运势

- 跟家人产生争执
- 精力放在社交生活中
- 爱情出现小风暴

这个月，亲情、爱情、友情不断互相竞赛！

也许这正是天蝎最爱营造的气氛！

火星继续燃烧“家庭宫”，而水星和太阳也留在宫内，跟火星比拼。你与家人经常出现一些争执，你很想化解，家人却絮絮不休。

不过你最有兴趣发展的是人际关系。金星走进“沟通宫”，你把所有精神放在社交生活中，爱情和家庭烦恼抛诸脑后！

到了24日，火星在“恋爱宫”火上浇油，使天王星的影响更严峻，爱情出现一场小风暴，急需平息！

水星跟太阳又匆匆赶至“恋爱宫”，为你摆平一切，当然，效果只是一般。因为你最想建立的，不是爱情，而是人际关系。

你一方面敷衍着情人，另一方面积极地寻找新目标。

天蝎座本月的好日子

1	2★	3	4	5	6	7▲	8	9	10
11	12	13★■	14	15	16	17	18▲	19	20
21	22■	23	24▲	25	26	27★■	28		

♥爱情 ■事业 ▲健康 ●财富 ✿家庭 ★人际

3月 工作攀到巅峰

本月重点运势

- 感情问题困扰你
- 拒绝再为感情浪费时间
- 工作运攀升到巅峰

这个月，爱情令你彻底失望！

感情问题已经困扰了你一段日子，不但没有好转迹象，反而变本加厉，使你忍无可忍！

火星猛烈地燃烧“恋爱宫”，水星和太阳仍留在宫内，可见你也曾经尝试化解。

不过金星进入“家庭宫”，你宁愿寻求家人支持，修补与家人的关系，拒绝再为感情浪费时间。任由爱情流逝吧！

到了10日，水星走到“工作宫”，你开始积极为工作筹划，到了21日，太阳、水星、木星和天王星在“工作宫”连成一线，工作运攀升到巅峰，使你相当兴奋。

不过从星盘看到，其实你没有全情投入工作中。当你心中想工作的时候，身体却忙于找家人相聚，你的思想转变得很快，有时连自己也摸不清自己的意向。

天蝎座本月的好日子

1	2	3	4✿	5	6	7✿	8	9	10★■
11	12■	13■	14■	15✿	16	17★■	18	19	20
21	22	23	24	25	26	27★■	28■	29■	30/31

♥爱情 ■事业 ▲健康 ●财富 ✿家庭 ★人际

4月 周旋于爱情事业中

本月重点运势

- 工作发展机会很多
- 没有爱情阻力

当所有行星走到“工作宫”，支持你在事业上的发展，你却将精力放在爱情上！

月初，太阳、水星、木星和天王星已经云集在“工作宫”，等候你发号施令。眼前有很多机会，等待你的参与。

不过，金星进入“恋爱宫”，你可能找到新目标，或者与旧侣重修旧好。星盘上已找不到爱情阻力，你可以随心所欲，只要出击，一定成功！

其实你也希望投入工作，不过火星在“工作宫”穿插，制造破坏，当你在工作上遇到不如意，你宁愿投入恋爱世界中。

你是思想复杂又懂得把握机会的天蝎，很想拥有全世界！

整个月，你周旋在爱情与事业中，感到十分满足。

其实，假如你可以集中精神，只向着一个目标发展，可能有更高成就！

然而矛盾是天蝎座的特质。永远的又爱又恨，得一又想二，难舍难分。

天蝎座本月的好日子

1■	2■	3■	4	5	6	7	8	9	10
11	12	13	14	15♥	16♥	17	18	19	20
21	22	23	24	25	26♥■	27♥■	28	29	30

♥爱情 ■事业 ▲健康 ●财富 ✿家庭 ★人际

5月 预留感情空间

本月重点运势

- 为事业而奋斗
- 凭才华冲破工作阻力
- 爱情不会非常完美

来到这个月，你的思想与行为终于恢复统一！

在月初，几乎所有行星齐集在“工作宫”，同心协力，为事业而奋斗！你将所有精神时间投入工作中，十分卖力。

火星偶尔制造阻力，使你劳心劳力，不过凭你的才华，很快便可以应付。

当你发现工作发展一帆风顺时，马上又想到爱情！

下半月，金星与水星一起走到“婚姻宫”，跟太阳在宫内交会，你渴望拥有完美爱情，希望伴侣跟你共度下半生。

天蝎座的爱情观，只要找到爱情，便幻想跟对方一生一世。

然而花不可能永远灿烂，世上没有永恒不变的爱情呀！

火星早已进入“婚姻宫”，进行破坏工程，提示你，要预留一点空间给自己和别人，人生才会和谐，舒服自在，否则永远的爱恨纠缠，令自己和别人都透不过气！

天蝎座本月的好日子

1■	2	3✿	4	5	6■	7■	8	9	10
11	12	13■	14	15♥	16♥■	17	18	19	20
21	22	23✿	24	25■	26	27■	28■	29	30/31

♥爱情 ■事业 ▲健康 ●财富 ✿家庭 ★人际

6月 心中很多假想敌

本月重点运势

- 婚姻开始出现怀疑和焦虑
- 对自己信心十足
- 开发新天地及新灵感
- 思想与健康都可能出现变

你在这个月举棋不定，心中有很多想法。

金星在月初仍留在“婚姻宫”，不过，火星在宫内破坏，你对婚姻开始出现怀疑和焦虑。

10日，金星移到“生死宫”，跟太阳和水星会合，使你变成强大的天蝎，这一刻，你对自己信心十足，开始四处寻觅新的趣味和寄托。

下半月后，当水星和太阳进入“旅游宫”，你将更积极地向外拓展，开发新天地及新灵感，以满足你的好奇心和求知欲。

这段时间，你要注意健康，避免过于劳累，因为火星开始破坏“生死宫”，出门要分外小心。

这是复杂多变的月份，思想与健康都可能出现变化，你渴望改变现有生活，离开对手的操控。

为了增加成功机会，聪明的你不断自我增值提升，借此抛弃对手。

天蝎座心中永远存在很多假想敌。

天蝎座本月的好日子

1	2	3■	4■	5	6	7	8	9	10▲
11★	12	13	14	15	16	17★	18★	19	20
21	22	23	24	25✿	26	27	28	29	30

♥ 爱情 ■ 事业 ▲ 健康 ● 财富 ✿ 家庭 ★ 人际

7月 希望越大失望越大

本月重点运势

- 事业水涨船高
- 经常奔波劳累
- 健康响起警号
- 充满机会和希望

你积极向外发展，事业水涨船高！

金星和太阳照亮“旅游宫”，你有很强的开创意欲，下决心要寻找新天地。水星进入“事业宫”，你用心地计划，打算在事业上大展拳脚。

可以看到，你全情投入，似乎对前景充满信心。

另外，火星在“生死宫”内作出破坏，你要避免过分紧张，经常奔波劳累使你的健康响起警号。你也要控制情绪，坏脾气会让你判断出错，盲目投资。

星盘显示，这是充满机会和希望的月份。不过，希望越大，失望越大。

你有时自视太高，过分乐观使你不能看清事情真相。而你的思想变化得太厉害，令人难以捉摸。

你在“旅游宫”徘徊了颇长一段时间，仍然未能定下明确方针，使你失去宝贵机会。

当你下定决心付诸行动时，你已失去大局的控制权！

天蝎座本月的好日子

1■	2■	3■	4■	5	6	7	8	9	10
11	12	13	14	15★	16★	17	18	19	20
21	22	23	24	25	26	27	28	29	30/31

♥爱情 ■事业 ▲健康 ●财富 ✿家庭 ★人际

8月 突如其来的变化

本月重点运势

- 准备为事业大展拳脚
- 失去家人的支持
- 朋友帮忙可以化解危机

踏入8月，你做好准备，在事业上大举进攻。

金星、水星和太阳全被召到“事业宫”，支持你的发展。

可惜，水星逆转，把“事业宫”翻转了。而海王星也在“家庭宫”逆动，使你失去家人的支持。

火星跑到“旅游宫”，令发展出现突如其来变化，使你难免手足无措。

你在这个月，少做少错，多做多错！一动不如一静，静观其变，最重要是保留实力，不要作无谓牺牲！

星盘提示你，找朋友帮忙，便可以化解危机。你还等什么？

22日后，金星和太阳一起走进“朋友宫”，朋友将带来宝贵助力，使你可以迅速走出困局，将一切纳入正轨。

这个月放下主观意见，多接纳别人意见，有助你改善冷漠形象。

天蝎座本月的好日子

1■	2■	3■	4■	5	6	7	8	9	10
11	12	13	14★	15★	16★	17★	18	19	20
21	22	23	24	25	26	27	28	29	30/31

♥爱情 ■事业 ▲健康 ●财富 ★家庭 ★人际

9月 朋友给你自信

本月重点运势

- 拥有超强朋友运
- 心情还相当不错
- 对外发展可能遇到阻滞

本月的变化开始缓和，贵人助你化险为夷。

金星、水星和太阳在“朋友宫”内发出强大能量，使你拥有超强朋友运，可以化解一切困难。

下半月后，金星、水星和太阳进入“心灵宫”，有贵人撑腰的你，自信心迅速膨胀，心情还相当不错呀！

火星一直破坏你的事业及旅游运，对外发展可能遇到阻滞。

因此，你最好先看清楚形势，千万别轻举妄动。

这段时间，多参加朋友的聚会，参与群体活动，可以充实心灵，减少工作上的烦恼。更重要的是，减少你的胡思乱想！

火星一直严重破坏“旅游宫”，可以看到，你的心情七上八下，向四周不断刺探，不断摸索，这些都是天蝎的本能反应。

与其想得太多，不如先集中精神做好自己吧，敏感的天蝎！

天蝎座本月的好日子

1	2★	3★	4★	5	6▲	7▲	8▲	9	10
11	12	13	14■	15■	16	17	18	19	20
21	22	23	24	25✿	26✿	27	28	29	30

♥ 爱情 ■ 事业 ▲ 健康 ● 财富 ✿ 家庭 ★ 人际

10月 拥有完美光辉

本月重点运势

- 充满超强能量
- 烦恼得到舒解
- 工作遇到的阻力相当大

你真是超级无敌的天蝎座，自我膨胀达到巅峰！

整个月，金星、水星和太阳连成一体，放出强大光芒，使你的“心灵宫”与“本命宫”看去完美无瑕，充满超强能量。

而你看上去活力充沛，神采飞扬，即使身体有任何毛病，这时也会迅速康复过来。

过去积压多时的烦恼，此时会得到舒解，心情变得轻松自在。心中有任何愿望或理想，最好利用这段时间去实现，成功的机会特别大！

当然，你要付出努力和代价呀！此刻，你是强大的天蝎，有能力和信心应付任何困难与考验。

火星一直燃烧着“事业宫”，工作遇到的阻力相当大，然而困难矛盾越多，越能够使你斗志激昂，充满雄心壮志。

继续努力吧，这一刻的光辉属于天蝎座！

天蝎座本月的好日子

1★	2★	3▲	4▲	5■	6■	7	8	9	10
11	12	13	14	15	16	17	18	19	20
21	22	23	24	25	26✿	27✿	28	29	30/31

♥爱情 ■事业 ▲健康 ●财富 ✿家庭 ★人际

11月 财运没法挡

本月重点运势

- 超强的财运
- 人际关系受到损害
- 友情出现问题

这个月，财富滚滚而来，你的好运没法挡！

金星和水星携手进入“金钱宫”，发出耀目金光，到了23日，太阳也赶来，三星交会，你的财运到达高峰，使你充满成功感。

但你要知道，火星正在破坏“事业宫”和“朋友宫”，虽然你得到丰厚回报，并不代表你可以松懈。

从另一角度看，你得了金钱，却损害了人际关系，火星从12日开始燃烧“朋友宫”，一直至明年7月才结束。

你要明白世事很难两全其美，得了这样，便失去那样，这种情况在天蝎座身上出现得最多！

由于你爱憎分明，敌我分明，所以经常陷入矛盾中。

其实，从佛家的角度，爱恨“一如”，敌人和朋友，本是同一人，根本没有分别！

要真正化解火星给“朋友宫”带来的破坏力，一切要从你的内心出发。

天蝎座本月的好日子

1●	2	3	4	5✿	6	7	8	9	10
11	12	13	14	15	16	17	18	19	20
21	22●	23●■	24●	25●	26●	27●	28●	29●	30●

♥爱情 ■事业 ▲健康 ●财富 ✿家庭 ★人际

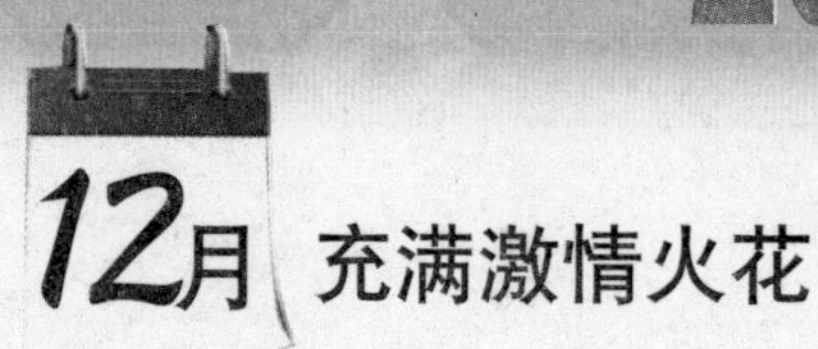

12月 充满激情火花

本月重点运势

- 没有经济压力
- 社交生活相当惬意
- 人际关系得到巩固

到了全年最后一个月，你的经济十分充裕，陶醉在社交生活中，相当惬意。

水星和太阳仍在“金钱宫”内，使你在财政上全无后顾之忧。

而金星进入“沟通宫”，你十分积极地建立人际关系，巩固实力。

不过，火星把“朋友宫”弄得天翻地覆，社交生活有时令你飘飘然，有时却令你相当生气！

也可以看到，尽管上天赐你健康财富，唾手可得，但仍然无法化解你的矛盾与抑郁。

也许你根本不甘心过着平淡的生活，一生越多激情和火花，越能使你感到有趣味和意义。

星盘提示你，这个月当你感到不开心时，找你的情人知己吧！但千万不要找家人倾诉，否则会越帮越忙！

当你感到苦闷时，投入工作便可以找到新灵感。

天蝎座本月的好日子

1●	2●	3	4	5★	6★	7✿	8	9	10
11	12	13	14	15★	16	17✿	18	19	20
21	22	23	24	25	26★	27	28	29●	30/31 ●

♥爱情 ■事业 ▲健康 ●财富 ✿家庭 ★人际

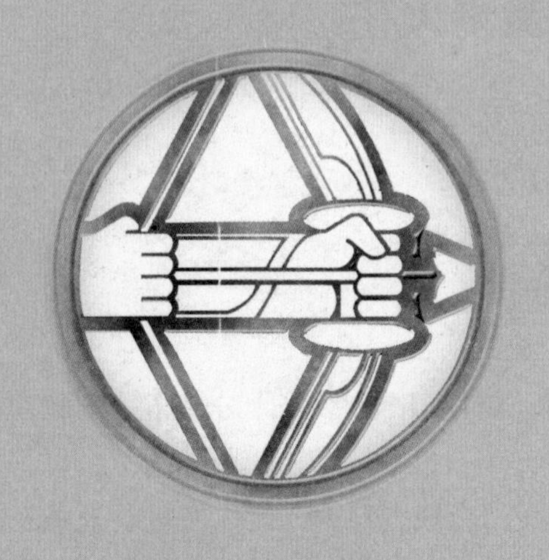

人马座

人马座有冲劲，有胆识，活力十足，是典型的斗士星座，有向外扩张发展的精神和勇气。做事手法灵活，不死板，爱吃喝玩乐享受人生，经常表现出独特的个人风格。

太阳星座日期：11 月 23 日—12 月 21 日

宫主星：木星　　**阴阳性**：阳性

三方宫：火象星座

星座图腾：人首马身射箭手

黄道十二宫的位置：第九个星座

对应身体部位：肝脏、肾部、神经

幸运颜色：蓝色

幸运宝石：紫水晶

最佳优点：坦率热忱，享受人生

最差缺点：粗心大意，行事莽撞

适合职业：教师、导游、律师、兽医、出版等职业

一 人马座男女

有冲劲有胆识的冲锋斗士

人马座又称射手座，是一个骑在马匹上的战士。

人马座有冲劲，有胆识，活力十足，是典型的斗士星座，有向外扩张发展的精神和勇气。做事手法灵活，不死板，爱吃喝玩乐，享受人生，经常表现出独特的个人风格。

不过，人马座做事不喜欢计划，有时甚至粗心大意，观察不够入微，是影响发展的主要原因。

热情的人马座坦率而热忱，包容力强，有大将风范，虽然喜欢冲锋陷阵，其实对事业的野心不大，享受竞争的过程，一生不愿意停下来，会不断寻找新目标，寻求突破，然后很快又放弃，无论对人或对事，都会表现出三心二意，未能贯彻始终。

酷爱社交生活的人马座对朋友比对亲人甚至伴侣还要好，这是一定的！

事实上，人马座的家庭观念较薄弱，会从自我的成功取得满足感，较少依赖家人。在人际关系上，人马座也会积极争取主导权，不受人操控，经常流露出强大自信，神采飞扬。

人马座是天生的旅游者，在工作和感情上，都经常变化，不愿意过刻板呆滞的生活。将这种创新革命精神放在工作上，所产生的创造力和影响力是相当惊人的，令人佩服。也有部分人马座一生总是马不停蹄，奔波劳碌，没有为自己积谷防饥。人马座若不将目光放远，沉溺于眼前风光，晚运会较容易衰落，无法东山再起。

布拉德·皮特

他们是行动的乐观主义者，直觉的悲观主义者，热爱独行，凭借豁达的行动力，独立勇闯。

刘嘉玲

她们热情率性而奔放，害怕孤独，却并不喜欢真正跟谁不设防地更接近。她们爽朗、直接，不愿拐弯抹角。

二 2011年人马座运势

活在温暖幸福中

发展尚算理想，压力较大

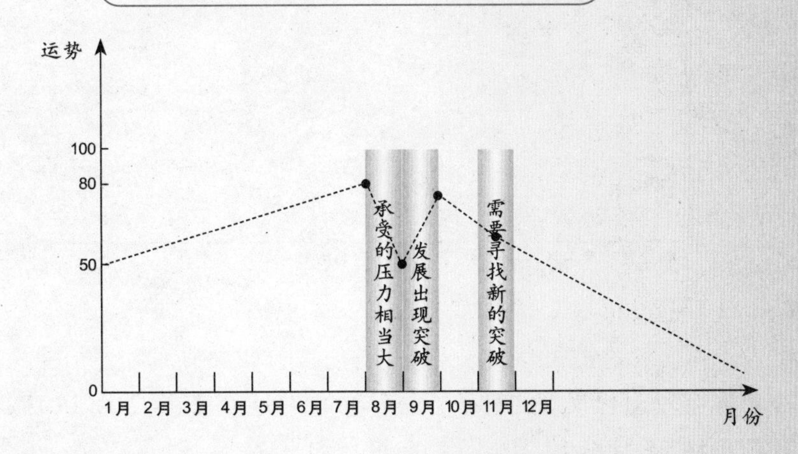

今年行星的变化十分大，人马座受影响最严重的是“旅游宫”和“沟通宫”，对外关系及发展将会受打击，势必影响事业和工作表现。

上半年的发展尚算理想，破坏力量虽然存在，但不算严重。

到了8月，水星在“旅游宫”逆转，而海王也将“沟通宫”翻转，对外发展受到相当严重的打击。加上火星燃烧“生死宫”，承受的压力相当大，小心健康受影响。

但你也不用过分担心，到了9月，金星、水星和太阳一起进入“事业宫”，令发展出现突破，而你很快便掌握大局，缓和变化。

不过星盘提示你，不要被假象蒙蔽，发展存在很多暗涌，使你的心情和健康一直受到困扰。

到了11月，火星燃烧“事业宫”，长达八个月！

在这段时间，你要细心观察形势，重新部署。

过去的那一套已经实行不通了，你要积极装备自己，为未来继续奋斗。

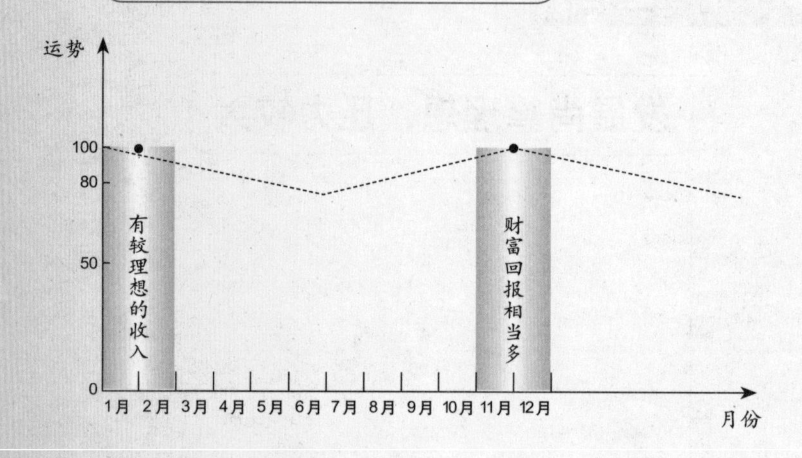

今年你有较理想收入的日子，是年初的1月15日至2月28日。

还有年终11月至12月，你的回报也相当多。

虽然财富的力量不算太强，但没有受破坏。所以，其实今年整体财政状况相当不错，经济充裕，对金钱慷慨的你，可以继续吃喝玩乐，享受人生。

爱情运

爱情运胜人一筹

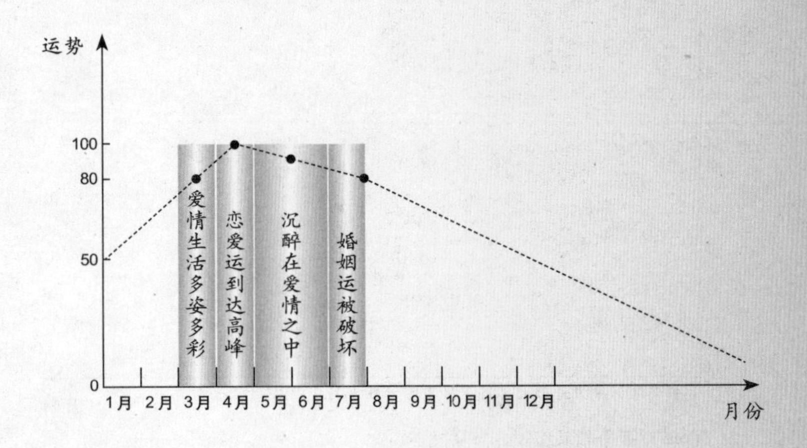

拥有个人风采和魅力的人马座，爱情运总是胜人一筹！

从3月开始，行星纷纷进入“恋爱宫”，使你的爱情生活多姿多彩。到了4月，恋爱运到达高峰，一直至6月，你都沉醉在爱情之中。

6月份，金星、水星和太阳齐集“婚姻宫”，这时，如果你想拥有婚姻，成功的机会十分大！

不过7月之后，“婚姻宫”开始遭火星破坏，婚姻究竟是甜是苦，看来你要好好想清楚！

虽然火星偶尔来破坏，但今年有天王星进驻“恋爱宫”，又有木星来支撑，全年你都爱得分外投入，令人又羡又妒。

健康运

身体与精神状态均十分强旺

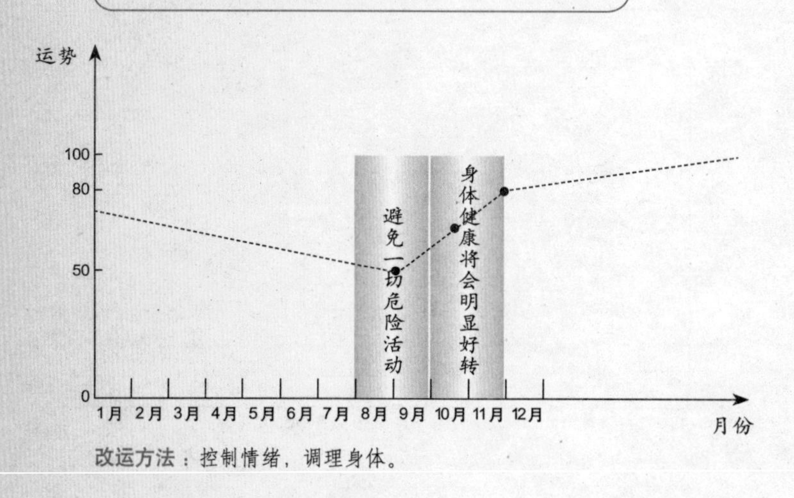

改运方法：控制情绪，调理身体。

今年出门旅游要小心，特别是8月至9月，水星在“旅游宫”逆转，加上火星燃烧“生死宫”，这段时间要避免一切危险活动。

今年你的“本命宫”及“心灵宫”得到金星、水星及太阳的强大支持，身体与精神状态均十分强旺，尤其在10月和11月，身体健康将会明显好转。

三 2011年人马座“十大天机”尽泄

最有情的成功拍档	双鱼座　天蝎座　巨蟹座
最具挑战的竞争对手	白羊座　人马座　狮子座
最得力的星座贵人	双子座　水瓶座　天秤座
最失控的星座克星	金牛座　处女座　山羊座
最经常在你身边出现的人	天蝎座　山羊座
最易犯的禁忌	游早泳、吃生鱼片、名字叫阿水、住海岛
最行衰运的打扮	穿金戴银、穿黑色内衣、口袋放镜子、戴金表
最快转运方法	穿红衣、饮红酒、上网、到东南亚旅行
最令你开窍的食物	豉椒炒蟹、椒盐虾、番茄、核桃
最招财的饰物	红宝石、玉器、玛瑙、斑彩石（海螺化石）

四 人马座行运大公开

人马座乐观而自信

你的外形十分极端。有一部分人马座身形十分健壮，肩背浑圆，臀部和大腿十分有力，适合从事户外活动多于坐在办公室。但也有另一类人马座身形十分瘦削，面部也特别长，样子真的仿如马匹。无论你属哪一种面貌，你的神情乐观而自信，爱穿着尽量轻松简单的衣服，运动服装最适合你，任何感觉受束缚的衣服都会使你讨厌。你喜欢一口气买下很多衣服，然后便不需再为衣服而烦恼。

人马座对爱与性的兴趣浓厚

人马座在爱情上担当猎人角色，在搜寻猎物过程中获得兴奋。你对爱与性的兴趣特别浓厚，很容易吸引着对方，但自由对你非常重要，完全无法忍受被对方束缚。你热情如火，但有时过分轻佻，你会是一个良伴，因为你乐观热情，经常鼓励对方，但对方必须迁就你爱自由的个性，才可将关系保持下去。

星座速配排行榜

名次	速配星座	速配率	速配指数
第1名	狮子座	95%	友情：★★★★★
			爱情：★★★★★
			婚姻：★★★★
第2名	白羊座	93%	友情：★★★★
			爱情：★★★★★
			婚姻：★★★★
第3名	水瓶座	90%	友情：★★★★
			爱情：★★★★
			婚姻：★★★

人马座的吉祥物

人马座的吉祥符号是一支发射中的箭，人马座属火象星座，一生怀着追逐猎物的心，永不休止。热情而温柔的康乃馨最能表现人马座对爱情的幻想。你爱吃柠檬、薄荷、栗子等食物，对中草药情有独钟。

各款马形、公鹿、猎犬的饰物和摆设，铜雕、玉器等，均特别吸引人马座。工作方面，你喜欢说话和鼓励别人，最适合从事教书、导游、律师、兽医、出版等行业。

工作之余，你会发挥猎人本色，逛商店搜寻各种新奇玩意和廉价用品，你也喜欢旅游、阅读、驾车、射箭等，行运的你会买书籍、吉他、地毯和财箱回家。人马座的家居一般十分宽敞，因为重视自由，不会摆放大型家具。颜色方面会选用艳丽的颜色，摆放很多漂亮有趣的纪念品和饰物，也可能会摆放一个地球仪，显示你对旅游的热衷。

人马座跟“虎肖”有关？

若结合中国的十二生肖，人马座跟“虎肖”是共通的！

虎人是拼搏能手，好强不认输，爱冒险，勇于开拓自己的“地盘”。

虎人与人马的最大共通，两者除了有冲劲，还都拥有灵活的思考能力。反应敏捷，是成功的主要因素。

人马座自信心极强，爱担当领导者，尤其在感情关系上，一定成为主导一方，有时会表现出过分自大和骄傲，为自己制造敌人和阻力。

康乃馨最能表现
人马座对爱情的幻想

五 2011年人马座每月运程

1月 纷纷出现转机

本月重点运势

- 健康及财富都获得改善
- 压力得到舒缓
- 有信心应付一切问题

踏进首个月，算是相当不错的好开始吧！

健康及财富都获得改善，金星进入“本命宫”，过去身体上的毛病，在本月会逐步康复。

至于财政上，水星和太阳照亮“金钱宫”，从下半月开始，经济状况会有新突破，压力得到舒缓。

可以看到，过去积压的问题，本月纷纷出现转机。

天王星继续在“家庭宫”逆转，不过有木星来支撑，问题不算太严重。

所以，你可以放下心头大石。

好好把握本月的运势，清除阻力，令基础更稳固。

这段时间，人际会产生一些是非噪音，21日后，情况会改善，你可以花更多时间投入社交中，广结善缘，调解纷争。

这个月金星给你很大能量，使你有信心应付一切问题。

人马座本月的好日子

1■	2■	3■	4■	5	6✿	7	8	9	10
11	12	13	14	15✿	16	17	18	19	20
21	22★	23★	24★	25	26	27	28	29	30/31

♥爱情 ■事业 ▲健康 ●财富 ✿家庭 ★人际

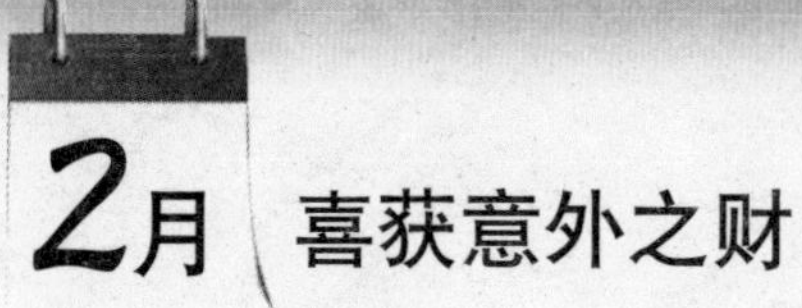

2月 喜获意外之财

本月重点运势

- 财运相当不错
- 对外关系上遇到不少障碍
- 心情保持得很好
- 家庭出现纠纷

这个月的财运相当不错！

金星走进“金钱宫”，使你得到一笔可观收入。这个月不妨多碰碰运气，会有意外收获！

但金星的光芒不算太强，因此别期望过高，有额外进账已是上天恩赐的礼物！

火星一直破坏“沟通宫”，你在对外关系上遇到不少障碍，幸好水星和太阳给你极大支持，可见形势并非一面倒，支持你和反对你的声音互相争持。

你是乐观的人马，这些问题，并没有影响你追逐享乐的心情！

到了24日，火星移到“家庭宫”，跟天王星会合，可能会增加家庭带来的烦恼。不过太阳和水星将影响力大大舒缓，因此，其实你已经早有准备，迎战家庭出现的纠纷。

而你继续享受上天送来的财富，烦恼跟你的距离看来很遥远！

人马座本月的好日子

1●	2●	3■	4■	5	6	7	8	9	10
11	12	13	14	15	16✿	17★	18	19	20
21	22	23	24	25	26	27●	28●		

♥爱情 ■事业 ▲健康 ●财富 ✿家庭 ★人际

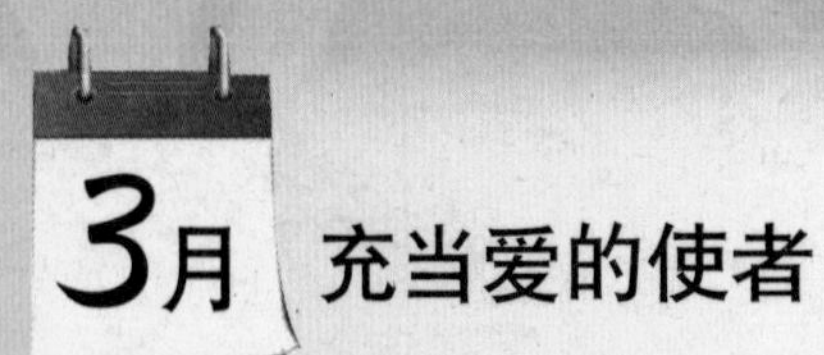

3月 充当爱的使者

本月重点运势

- 人际关系大大改善
- 陶醉在爱的世界中
- 朋友、家人给予支持

你在本月的人际关系大大改善，还碰到新的爱情希望！

金星把“沟通宫”照成明亮，人际间的是非纠纷一扫而空。

火星继续在“家庭宫”内捣蛋，不过水星及太阳一直给你很大支持，因此，家人有时的确使你生气，但爱情和朋友带来的欢笑可以助你把烦恼忘得一干二净！

在10日，水星已率先步进“恋爱宫”，21日，太阳、水星、木星及天王星在“恋爱宫”相遇，携手送出爱的光芒，使你陶醉在爱的世界中。

这是爱心洋溢的月份，你为朋友、家人及爱情都付出了很多，而他们都纷纷被你感动，跟你和应。

你让所有人更明白，只有爱心才可以化解难题。

人际间一切烦恼，均源自缺乏了爱。

热情的人马正好充当爱的使者，令世人明白爱的重要，令这世界更和谐，充满更多欢笑和大爱。

人马座本月的好日子

1	2★♥	3★♥	4	5	6	7	8	9	10♥✿
11✿	12♥	13★	14	15	16	17	18	19	20
21	22	23	24★	25✿	26✿	27	28	29	30/31

♥爱情 ■事业 ▲健康 ●财富 ✿家庭 ★人际

4月 拥有无尽的爱

本月重点运势

- 家庭矛盾解决
- 享受爱的甜蜜喜悦
- 有人跟你作对

你是得天独厚的人马，上天赐予你无尽的爱！

金星在月初便走到“家庭宫”，为你拆解所有家庭问题。家人从此不再投诉。

然后，太阳、水星、金星、木星和天王星都跑进“恋爱宫”，争相为你献上爱的甜蜜喜悦。

唯一美中不足的是，火星也在宫内破坏，使你有时也为爱情而烦恼！

爱得越浓，烦恼越多，这是理所当然呀！凡事太“多”就未必好，“足够”便可以。

知足的人最幸福。从星盘可以看到人生真理。

在这个月，亲情爱情，尽归人马座。

而你要好好珍惜，因为火星一直在破坏，暗示有对手与你竞赛，你经常过分坦率单纯，容易让对方乘虚而入。

人马座本月的好日子

1♥	2	3	4	5	6	7	8★	9	10
11	12♥	13♥✿	14	15✿	16✿	17♥	18	19	20
21	22	23	24	25✿	26✿	27♥✿	28	29	30

♥爱情 ■事业 ▲健康 ●财富 ✿家庭 ★人际

5月 一边工作一边想爱情

本月重点运势

- 全情投入恋爱
- 专注于工作
- 工作遇到不少阻力

你一边全情投入恋爱，一边专注于工作。

水星、金星、火星、木星和天王星仍然在“恋爱宫”内互相竞逐，而你是最爱追逐的人马，享受过程中的刺激和挑战。

月中，金星和水星移到“工作宫”，工作上有很多新发展，带来新的趣味，使你十分专注其中，感到雀跃。

然而你要知道，火星又在旁边破坏，提示你，凡事要谨慎三思，切勿轻率大意。

你身边一直有另一股力量跟你对着干。

你是粗心大意的人马，思想不够精密，计划往往也欠周详，只看到眼前风光，未能洞悉先机，使你有时陷于险境，仍然茫然不知。

除了用爱心化解危机，有时也需要智慧和勇气，才可以令对方慑服呀！

不过，感情丰富的你，当发现工作遇到不少阻力时，很快又把心思转到爱情上，拒绝在工作上纠缠下去。

人马座本月的好日子

1♥■	2♥■	3	4	5	6	7	8	9	10
11	12	13	14	15■	16■	17■	18	19	20
21	22	23	24	25♥✿	26♥✿	27	28	29	30/31

♥爱情 ■事业 ▲健康 ●财富 ✿家庭 ★人际

6月 很想婚姻成功

本月重点运势

- 工作烦恼越来越多
- 爱情成功的概率十分高
- 身心舒畅

你感到工作烦恼越来越多，下定决心找伴侣支持。

尽管火星一直破坏“工作宫”，你也懒得理会，全心全意追求爱情的满足。

金星、水星和太阳全部齐集“婚姻宫”，你有强大的信心和欲望，希望爱情可以开花结果。

提示你，在21日之前，成功的概率十分高！

因为这天之后，火星便会破坏“婚姻宫”，这时候，你碰壁的机会就会很高！

月中后期，水星和太阳进入“生死宫”，给你带来很好的磁场，你会感到身心舒畅，烦恼也少很多。

从星盘可以看到，解决烦恼的最佳方法，不是拼个你死我活，而是令内心宁静下来，宁静可以致远，静能生智，心境平和，才可以避免烦恼蔓延下去。

烦恼是一种传染病。

想提高免疫力，方法是从“心”开始，令心灵更充实，便不怕烦恼入侵。

人马座本月的好日子

1♥	2♥	3✿	4	5♥✿	6♥✿	7	8	9	10
11	12	13	14♥	15♥	16	17	18	19	20
21♥✿	22	23	24	25	26	27	28	29	30

♥爱情 ■事业 ▲健康 ●财富 ✿家庭 ★人际

7月 开始要尝点痛苦

本月重点运势

- 爱情甜蜜中有痛苦
- 想法出现很多变化
- 缺乏坚持和忍耐

你已经尝了爱的甜蜜，现在开始要尝点爱的痛苦了。

火星不断燃烧“婚姻宫”，伴侣的想法开始跟你有分歧，使你感到困扰。

金星和太阳留在“生死宫”，你有极强大自信，但小心变成自大，有可能因此而影响你跟伴侣妥协。

水星进入“旅游宫”，你的想法出现很多变化，明显地，你还没有拿定主意，犹豫不决。

而当你发现眼前的事物并非由你控制，你会弃之而去，开辟另一片新天地。不断开创，不断放弃，正是人马座的特性。

每次你感到不如意，很快便放弃，然后再另寻新目标，开始另一场追逐游戏。因为你总是缺乏坚持和忍耐，没有好好珍惜所拥有的一切。

从星盘看到，你不断增强自己，不断寻找新趣味，对于感情的烦恼，如过眼烟云，不屑一顾。

人马座本月的好日子

1	2	3	4	5	6	7	8	9	10
11	12	13■	14■	15★	16★	17	18	19	20
21	22	23	24	25	26	27	28	29	30/31

♥爱情 ■事业 ▲健康 ●财富 ✿家庭 ★人际

8月 人生大换血

本月重点运势

- 注意健康、提防意外
- 对外关系出了问题
- 在事业上找到寄托

你很喜欢变化走动，不过，小心越变越复杂！

因为这个月，水星在“旅游宫”逆转，同时，火星也燃烧“生死宫”！

你必须注意健康，出门旅游、驾驶都要特别小心，提防意外。

也提示你在变化的过程中，很容易出错，或者要经历一场人生大换血，令健康、心情都受到影响。

另外，海王星在“沟通宫”内逆转，显示你的对外关系出了问题，你要注意收敛脾气，大事化小，一切以和为贵。

这段日子，你遇到很多矛盾变化，而你是相当被动的，因此，急躁的人马，请尽量忍耐，冲动只会令事情恶化。

22日后，金星和太阳便会进入“事业宫”，不愉快的事很快会过去，当你在事业上找到寄托，你又会成为勇猛的人马座，在事业上冲刺。

不过，谨记量力而为，注意健康！

人马座本月的好日子

1	2	3	4	5	6	7	8	9	10
11	12	13	14	15	16	17	18	19	20
21	22★■	23★■	24★■	25★■	26	27	28	29	30/31

♥爱情 ■事业 ▲健康 ●财富 ✿家庭 ★人际

9月 投入工作和社交

本月重点运势

- 工作表现令人满意
- 心结未解开
- 与朋友相处融洽
- 出门遇到意外及阻力

你的事业表现十分出色，不过心情尚未平复！

金星、水星和太阳都进入“事业宫”，你恢复强大斗志，工作的表现令人满意。

不过，火星仍然破坏“生死宫”，你似乎尚有一些心结未解开，仍有疑惑和忧虑。

16日后，金星、水星和太阳相继移到“朋友宫”，热爱社交活动的你再次出动，周旋在朋友中，发挥热情魅力，令众人以你为焦点！

此时火星移至“旅游宫”，提示你，不要乐极忘形！

小心出门遇到意外及阻力，假如你正打算进行一些转变，例如搬家、换工作，目前不是适当时机。

这个月，集中精神发展事业和社交，其他事情，暂时放下吧！

你越心急求变，只会招来越多反效果。

人马座本月的好日子

1★■	2★■	3■	4■	5■	6■	7	8	9	10
11	12	13	14	15	16★	17★	18★	19★	20
21	22	23	24	25	26■	27■	28★	29★	30

♥爱情 ■事业 ▲健康 ●财富 ✿家庭 ★人际

10月 静下来才有福气

本月重点运势

- 生活多姿多彩
- 情绪十分高昂
- 出门要提防意外

来到这个月，你变成快乐的人马，获得强大满足感！

金星、水星和太阳像三兄弟，在你的“朋友宫”穿插，使你的朋友运更加高涨，生活多姿多彩。

10日后，这三兄弟携手走进“心灵宫”，使你的情绪十分高昂，对前景充满信心，为此而感到兴奋。

不过你要留意，火星仍然燃烧“旅游宫”，加上海王星在“沟通宫”逆转，你的对外发展仍有不少障碍和变数。

所以，虽然你有雄心壮志，但不能太急躁，最重要的还是先加强本身实力。

星盘提示你，本月宜守不宜攻。

好好享受生活所带来的丰盛与乐趣。出门要继续小心，提防意外，尽量减少变化，是本月的制胜之道。

其实，能够静的人，才可以积聚福气呀！

人马座本月的好日子

1▲	2▲	3▲	4	5	6	7	8	9	10★
11★	12★	13★	14	15	16	17	18	19	20
21	22	23	24✿	25✿	26✿	27✿	28✿	29	30/31

♥爱情 ■事业 ▲健康 ●财富 ✿家庭 ★人际

11月 自信超级强大

本月重点运势

- 自信心超级强大
- 对外的发展一直未达理想
- 支持力增加你的成功几率

这个月，你的自信心超级强大，感到一切在你掌握中。

金星和水星已走到属于你的“本命宫”，使你有能力成为操控命运的人。到了23日，当太阳也照耀“本命宫”，你的自信达到巅峰，很想扩张势力，扭转乾坤。

不过，有时形势未必如你想象中简单。

火星破坏“旅游宫”，显示你对外的发展一直未达理想，12日，火星转到“事业宫”，你太刻意求胜，反而令阻力有增无减。

有时太自信未必是好事。

事事以自我为中心，会使你失去客观分析，考虑不够周详。

无论如何，这是带来好运的月份，你得到庞大支持，可以随心所欲地做事。你有任何理想，尝试在本月推行，会有较大把握。

但谨记不能太主观，否则成功很快便破灭！

人马座本月的好日子

1	2	3✿	4✿	5	6	7	8	9	10
11	12▲■	13■	14■	15■	16	17	18	19	20
21	22	23▲	24▲	25	26	27	28	29	30

♥爱情 ■事业 ▲健康 ●财富 ✿家庭 ★人际

12月 获得金钱奖赏

本月重点运势

- 财富运不错
- 事业发展会遇到相当大阻力
- 人际关系存在隐忧

到了年终最后一个月，上天降下财富，奖赏你过去的努力！

金星闪耀“金钱宫”，再次带来丰厚回报，使你更加充满自信。不过，其实力量不算太强，但只要有收获，已经成功。

水星和太阳仍留在“本命宫”，你拥有强大开创未来的决心。但你也必须知道，火星猛烈地焚烧“事业宫”，一直至明年 7 月份！

代表这段时间，你的事业发展会遇到相当大阻力，你越刻意经营，越弄得一团糟！

因此你要反思，过分自信，往往使你漫无目的地乱冲，将简单变成复杂。

海王星一直在“沟通宫”带来压力，人际关系存在隐忧，小心敌人伺机行动。

而你是享乐主义的人马，在好运时没有好好装备自己，遇到困难，找朋友帮忙，或者一走了之，是你的惯常作风。

火星提示你，若继续玩世不恭下去，便会自食恶果！

人马座本月的好日子

1●	2●	3●	4●	5✿	6✿	7	8	9	10
11	12	13	14	15	16	17	18	19	20
21	22	23	24✿	25✿	26	27	28	29	30/31

♥爱情 ■事业 ▲健康 ●财富 ✿家庭 ★人际

山羊座

山羊座一生都怀着浓厚的使命感和责任感，背负的枷锁也特别多，有一种悲情的烈士性格，我不入地狱，谁入地狱，是山羊座的写照。

太阳星座日期：12 月 22 日—1 月 20 日

宫主星：土星　　**阴阳性：**阴性

三方宫：土象星座

星座图腾：羊身鱼尾

黄道十二宫的位置：第十个星座

对应身体部位：头发、皮肤、骨头

幸运颜色：咖啡色

幸运宝石：黑玉

最佳优点：正派率直，性格善良

最差缺点：自视极高，冷漠乏味

适合职业：建筑业、地质测量员、管理员、文员、牙医等

一 山羊座男女

做事勤奋、责任心强的理想主义者

山羊座又称摩羯座，摩羯是一种拥有奇妙力量的神圣动物。

山羊座一生都怀着浓厚的使命感和责任感，背负的枷锁也特别多，有一种悲情的烈士性格，我不入地狱，谁入地狱，是山羊座的写照。

山羊座做事勤奋，责任心强，坚守理想和原则，不会随便向人宣示自己的内心世界，自我保护意识十分强，很怕受伤害。

性格善良的山羊座很少主动攻击别人，不过若感到安全受威胁，或自己的“地盘”被入侵，会奋起反抗，甚至不惜任何代价，抗争到底！

然而过分的保护主义，令山羊座疏离人群，外表相当冷漠，喜欢将自己放在一个不起眼的位置，静心观察，少说话，一说话便严格挑剔，生活简单低调，是律己性强又相当乏味的星座。

山羊座自视极高，自尊心也极强，爱思考，有强大工作能力，冷静而临危不乱，不轻浮，讲求实际效益，一般都能够在工作上有满意成就，包括爱情方面，也有稳定的伴侣，生活平淡而安逸。

重视原则的山羊座在爱情上相当守规矩，不轻易动情，一动情便会全情投入，对伴侣十分专一。事实上，山羊座经常表现出高尚情操，丰富内涵，具优秀的艺术才华，往往因此而赢取别人的拥护和尊重。

不过山羊座经常给予自己压力，顾虑过多，令自己失去自由，甚至思想走向极端。山羊座其实很需要别人的关心和引导，打开内心世界，步向更快乐、多姿多彩的美好人生。

周杰伦

他们脚踏实地任劳任怨，工作能力绝佳，又不计较薪酬，既能专精于技术，又能周旋于人际。

巩俐

她们懂得隐忍与坚持，辛勤耕耘，体认传统，喜欢有自己的事业，更想要一个温馨幸福的家庭。

二 2011年山羊座运势

傲然面对挑战

事业上有相当多的发展和进步空间

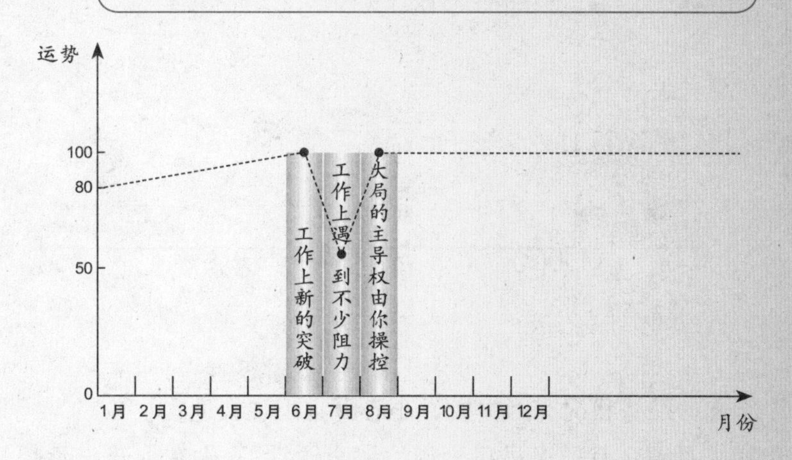

这一年的变化相当多，但坚强的山羊一定有能力应付！

今年土星压抑“事业宫”，工作压力会增加，但“事业宫”十分完整，事业上仍有相当多的发展和进步空间。

6月份，金星、水星和太阳进入“工作宫”，带来工作上新的突破，不过到了7月份，受火星影响，工作上遇到不少阻力。

而你必须留意8月，这是重要的月份，水星及海王星逆转，可能影响你的健康及财富，你要提高警觉。

8月后，一切将逐渐回复正常。“事业宫”得到强大支持力，加上“心灵宫”及“本命宫”不断膨胀，你对发展充满信心，大局的主导权由你操控。

今年的发展集中在年终，那时你可以全力进攻。不过由于火星破坏“旅游宫”，拓展不能操之过急，尤其外地的跨境发展要审慎，小心招来反效果，得不偿失。

经济状况失控，错失财富机会

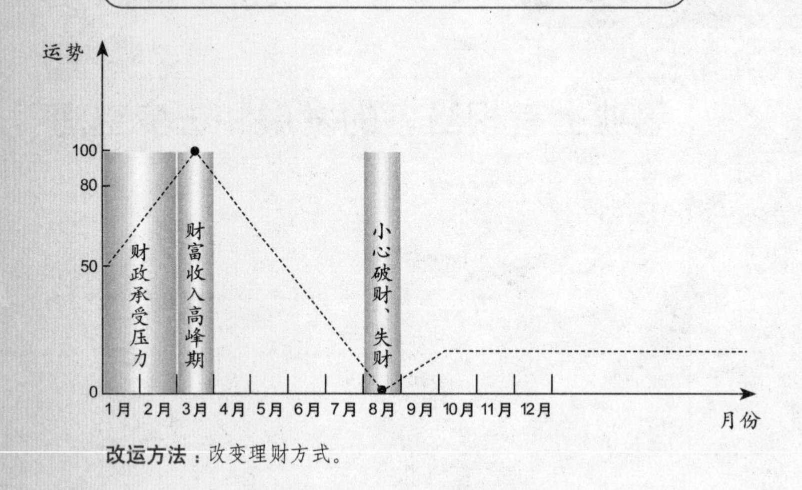

改运方法：改变理财方式。

今年你的经济状况有点失控，小心财富出现大地震！

年初 1 月到 2 月，火星猛烈燃烧“金钱宫”，你在财政上承受相当大压力，幸好 3 月时，金星支撑“金钱宫”，使你有相当不错的收入。

到了 8 月，海王星在“金钱宫”逆转，你可能面临一笔较庞大的开支，小心破财、失财，财政出现赤字！

今年“金钱宫”遭破坏相当严重，令财政大失预算，也提示你，要改变理财方式。你过去太保守低调，往往使你未能打开对外世界，错失很多财富机会。

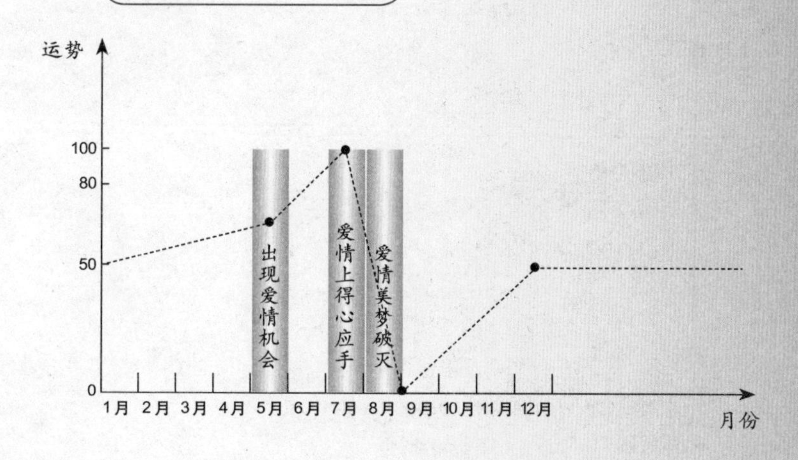

今年爱情发展其实不算太理想，来得匆匆，去也匆匆。

5月份，金星进入“恋爱宫”，带来爱情机会，不过遭火星破坏，山羊座甜苦自知。7月时，“婚姻宫”获金星、水星及太阳强力支持，你在爱情上得心应手，爱情运到达高峰。

不过，从8月开始，“婚姻宫”遭火星严重破坏，爱情美梦破灭。你开始发现，现实中的爱情跟你所想象的是两回事。

整个下半年，其实你的心情都相当沉重，爱情平淡如水，找不到任何涟漪。已婚山羊座要加紧修补关系，以免夫妻距离越走越远。

健康运

健康出现变化，情绪波动大

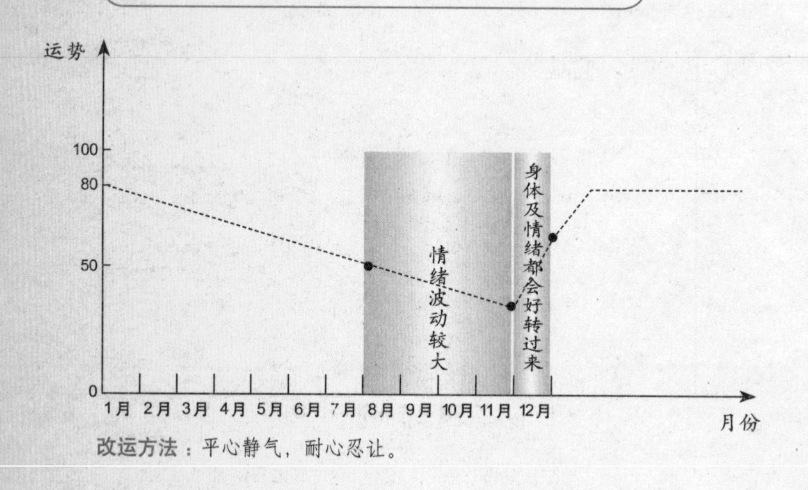

改运方法：平心静气，耐心忍让。

今年水星在“生死宫”逆转，山羊座的健康响起警号！

从 8 月开始至 11 月，你要小心，水星和火星令健康出现变化，这段时间，你的情绪较容易波动，感情争执相当多，财政也出现危机，大大增加你的压力和负担。

你要耐心忍让，到了 12 月，当金星进入“本命宫”，身体状况及情绪都会好转过来。

三 2011年山羊座“十大天机”尽泄

最有情的成功拍档	双子座 水瓶座 天秤座
最具挑战的竞争对手	金牛座 处女座 山羊座
最得力的星座贵人	白羊座 狮子座 人马座
最失控的星座克星	双鱼座 天蝎座 巨蟹座
最经常在你身边出现的人	水瓶座 人马座
最易犯的禁忌	早上沐浴、搭船返工、养鱼、家中望海
最行衰运的打扮	穿金戴银、穿金黑白色衣服、戴耳环、染金发
最快转运方法	晒太阳、入厨煮饭、点长明灯、每天向南走
最令你开窍的食物	羊肉、猪心、蕃茄、核桃
最招财的饰物	紫水晶、红宝石、猫眼石、斑彩石（海螺化石）

四 山羊座行运大公开

山羊座正派率直

你一般长得相当高大，手脚骨架较突出，前额较宽。有些山羊座人则十分瘦削，下巴非常尖，给人骨瘦如柴的感觉。你的眼光很稳定，站立时腰部挺得十分直，令人感觉你的正派率直。你的外形保守，喜欢古典风格服饰，讲求质量，即使休闲时穿的衣服也会讲究，也喜爱高品质的皮带、皮包等陪衬物。但你不喜欢突出自己形象，经常扮演安静、保守的角色，不希望给别人留下深刻印象。

山羊座的爱情十分含蓄

山羊座的爱情十分含蓄，平日沉默寡言，当遇到心仪对象时，要经过一段时间，才发觉自己爱上对方。你与人交往时会尽量压抑感情，表现十分冷淡和疏远，当认定对方是另一半后，你会心花怒放，而且谈吐幽默。你的办事作风循规蹈矩，对伴侣和子女照顾得无微不至，对爱情十分忠贞。但你也会为了追逐名利，不惜趋炎附势，甚至牺牲家庭幸福。说到底，山羊座要学会放松自己，才可以享受更美妙的爱情。

星座速配排行榜

名次	速配星座	速配率	速配指数
第1名	金牛座	95%	友情：★★★★★
			爱情：★★★★★
			婚姻：★★★★
第2名	处女座	93%	友情：★★★★
			爱情：★★★★★
			婚姻：★★★★
第3名	天蝎座	90%	友情：★★★★
			爱情：★★★★
			婚姻：★★★

山羊座的吉祥物

山羊座的吉祥符号是象征羚羊角的V形符号，旁有一撇向内，表现山羊座人的沉默内敛。典雅大方的紫罗兰最能代表山羊座的正直气派。你爱吃萝卜、番茄、奇异果等食物，对天然食品或素食情有独钟。

各款宝石、紫水晶、羊形饰物、铜器等，均特别吸引山羊座。工作方面，建筑业、地质测量员、管理员、文员、牙医等均适合山羊座。

工作之余，你喜欢研究地质学、考古学，喜欢购买陶艺、纺织等手工艺品，行运的你会买望远镜、槌子、雕刻刀、瓷器餐具等回家。山羊座的家不会令人留下深刻印象，因为山羊座不会花费金钱在不切实际的装饰上。你最爱炫耀收藏品，罕见的石头、贝壳、水晶、瓷器等均受到山羊座隆重的拥护。

山羊座与“牛肖”有关?

在十二生肖中，山羊座跟“牛肖”是互通的!

牛人坚毅不屈，凭忍耐及持久力赢取个人成就，但有时过分固执死板，令发展受限制。山羊座重视内涵和修养，但不善于表达及加以发挥运用，因而错失很多大好机会。山羊座有实力，守纪律，是很忠诚的伙伴，包容力及忍耐力均十分强，可惜普遍欠创新和革命的勇气，未能将天赋才华进一步发挥，经常有一种郁郁不得志的多愁情绪。

紫罗兰最能代表山羊座的正直气派

五 2011年山羊座每月运程

1月 自费心机的日子

本月重点运势

- 人际关系受到破坏
- 财政上遇到压力
- 对事业有忧虑

踏进首个月，你的心情相当恶劣！

水星把你的“心灵宫”翻转，而天王星逆转，破坏你的人际关系，使你遇到不少烦恼！

加上火星燃烧“本命宫”，你的自信受到冲击，财政上也遇到压力，真的很烦呀！

可以看到，你相当努力地救亡，金星在8日走进“心灵宫”，大大舒缓你的压力，而水星和太阳也移到“本命宫”及“金钱宫”，助你走出困局。

不过其实力量很薄弱，寥胜于无吧！

留意，土星全年压在“事业宫”，你对事业有忧虑，而木星支撑“家庭宫”，你跟家人相处融洽，不过对你的实际作用其实不大。

这是一个吃力不讨好的月份，徒劳无功，白费心机。

不做固然错，做了，又不见得有新的转机。

山羊座本月的好日子

1	2	3	4	5	6	7	8▲●	9	10
11	12	13	14	15	16✿	17✿	18✿	19	20
21	22	23	24	25	26✿	27✿	28	29	30/31

♥爱情 ■事业 ▲健康 ●财富 ✿家庭 ★人际

2月 财富如流水

本月重点运势

- 财政上的压力越来越严重
- 信心不会动摇
- 人际关系上遇到阻力
- 波折不断

你在财政上的压力越来越严重！

火星继续破坏“金钱宫”，使你的支出如流水，一去不回！

此时，水星和太阳赶到“金钱宫”，想尽法子开源节流，虽然未必可以化解，总算尽了一份力吧。

而金星在“本命宫”镇守，使你的信心不会动摇，而且活力过人，有强大能量化解危机。

20日后，火星开始破坏“沟通宫”，跟天王星会合，在人际关系上制造阻力。幸好太阳和水星也同时在宫内，排忧解难。

整个月，你忙于修补、调停，然而，一波未平，一波又起。

人生背负的重担真的很多呀！

多愁善感的山羊，其实你无须杞人忧天，太紧张便不美，放下吧。

情况并非你想象中那样恶劣，金钱失去之后，可以再赚回来，风暴之后，很快又可见到风和日丽，一切都是宇宙定律，何必介怀。

山羊座本月的好日子

1	2	3▲	4▲	5✿	6	7	8	9	10
11	12	13	14▲	15✿	16	17	18	19	20
21	22	23	24	25	26	27	28		

♥爱情 ■事业 ▲健康 ●财富 ✿家庭 ★人际

3月 金钱与亲情兼得

本月重点运势

- 金钱失而复得
- 人际关系摩擦不断
- 家人给你很大支持

你的金钱失而复得，之前失去的，现在又重投你的怀抱！

金星走到“金钱宫”，把财富源源送到你的手中，你的心情大为好转。

此时人际上仍有不少噪音，火星与天王星同一阵线，对抗太阳和水星。你可以看到，其实是非对错，难以分辨，你若投入其中，只会令自己辛苦！

到了21日，太阳、水星、木星及天王星在“家庭宫”交会，家人给你很大温暖和支持。

说到底，你是恋家的山羊，即使爱人或朋友都不及家人对你重要。

这个月，金钱上，家庭上，你都得到丰收，使你成为快乐的山羊。

好好尽情享受这份满足感吧！

此刻你是行运山羊，身边有庞大支持力，你想要的，唾手可得。

事实上，山羊座的要求很简单，只要令身边的人满足，自己便满足。若见到身边的人失控，自己就会失控！

山羊座本月的好日子

1●	2●	3●	4▲●	5▲	6	7	8	9	10
11	12	13	14	15★	16★	17	18	19	20
21✿	22✿	23✿	24	25	26	27	28	29	30/31

♥爱情 ■事业 ▲健康 ●财富 ✿家庭 ★人际

4月 留在自己的安乐窝

本月重点运势

- 生活没有任何阻力
- 与家人关系融洽
- 享受友情与亲情

这个月，你犹如活在天堂中！

金星进入“沟通宫”，你努力调解人际间的纠纷，打通对外关系，而且相当成功。身边找不到任何阻力。

而太阳、水星、木星和天王星继续留在“家庭宫”，给你支持，使你自信满溢，可以尽情发挥。

不过，火星也同时在宫内破坏，所以，有时家人可能越帮越忙，好心做了坏事，使你不高兴。

然而这些都是人生的小插曲，没有破坏你与家人的关系。

从星盘看到，你有庞大的与家人血浓于水的想法，任何情况下都不可能分割。山羊座只有跟家人在一起，才最有安全感。

整个月，你乐于留在自己的安乐窝中，把所有事情放下，享受友情与亲情，虽然生活刻板，但你一点也不介意。

山羊座本月的好日子

1★	2★	3	4✿	5✿	6	7	8	9	10✿
11	12	13	14✿	15	16	17	18	19	20
21	22✿	23	24	25	26	27✿	28	29	30

♥爱情 ■事业 ▲健康 ●财富 ✿家庭 ★人际

在家庭与爱情中兜转

本月重点运势

- 享受家庭生活
- 爱情遇到阻力
- 竞争对手出现

你极其享受家庭生活，同时，积极寻找爱的空间。

太阳、水星、火星、木星和天王星继续留在“家庭宫”，相亲相爱，有时也会吵架，但很快又平息。

16日，太阳、金星和水星在“恋爱宫”相遇，你渴望拥有爱的想法很明显，而且不惜付出所有心力。

不过，火星一直在宫内破坏，有人跟你竞争，或者你跟爱人还差一点默契，导致彼此经常产生误会。

而内敛含蓄的你，不会死缠烂打，当发现爱情遇到阻力，便会选择暂时退下来，向其他方面发展。

你是永远都不愿意刻意求胜的山羊，即使内心很着急，外表也装作不介意，别人为你着急，而你却慢条斯理，一派气定神闲。

但你的以退为进，有时也会为你带来意想不到的惊喜。

山羊座本月的好日子

1✿	2	3	4✿	5	6	7	8	9	10
11	12	13	14	15	16♥✿	17♥✿	18	19	20
21	22	23	24	25✿	26	27	28	29	30/31

♥爱情 ■事业 ▲健康 ●财富 ✿家庭 ★人际

6月 很快便放弃工作

本月重点运势

- 努力投入工作中
- 爱情上出现新的突破
- 竞争对手为你制造不少麻烦

这个月初，你努力投入工作中，但心中也挂念爱情！

金星、水星和太阳都转到“工作宫”，你打算积极发展事业，将感情放下。

不过，17日后，水星和太阳照耀“婚姻宫”，爱情上出现新的突破，使你十分雀跃，并为此而花了很多心思努力。

另外，工作遇到不少阻力，火星在“工作宫”内破坏，使你开始无心工作，天天都在想爱情。

既然想，就付诸行动吧！

反正工作上处处受掣肘，不如打开爱的天地，呼吸更多自由空气。

其实你很努力工作，不过对手不断跟你比拼，使你不胜其烦。你是最不爱与人比较的山羊，最爱面子，最怕自尊受损。

因此，你很快便放弃工作，选择了爱情，星盘上找不到任何爱情阻力！

下半月后，你无拘无束地沉醉于爱情中，没有雷电交加，只有阳光和温暖。

山羊座本月的好日子

1■	2■	3■	4■	5	6	7	8	9	10
11	12	13	14	15	16	17♥✿	18♥✿	19	20
21	22	23	24	25	26♥	27♥	28	29	30

♥爱情 ■事业 ▲健康 ●财富 ✿家庭 ★人际

7月 爱情独领风骚

本月重点运势

- 专心发展爱情
- 工作发展令你失望

你已经豁出去了，无论工作遇到任何障碍，你都专心发展爱情。

金星和太阳步进“婚姻宫”，而水星移至“生死宫”，你的情绪相当高涨，感到充满希望。

火星一直燃烧“工作宫”，工作发展令你失望，使你下定更大决心，要在感情上取得胜利。

可以看到，你的战略十分成功！

星盘上找不到任何对手与你抗衡，此刻的你，独揽大局，独领风骚，爱情全部在你掌握中！

你不愧是沉稳有内涵的山羊，在不经意间赢取全盘胜利，无须激烈斗争，拼个你死我活。

不过爱情得到了，也要好好培育，才可以恒久。

你是相当枯燥乏味的山羊，缺少浪漫激情，小心将对方闷死！

山羊座本月的好日子

1♥	2♥	3♥	4♥	5	6	7	8	9	10
11	12	13	14	15	16	17	18	19	20
21	22	23	24	25✿	26✿	27	28	29	30/31

♥爱情 ■事业 ▲健康 ●财富 ✿家庭 ★人际

8月 心情有点沉重

本月重点运势

- 健康出现变化
- 财富出现转移
- 婚姻关系紧张

这个月，你的心情有点沉重，健康及财富可能受损！

水星在“生死宫”内逆转，显示你的健康可能出现变化。

至于海王星在“金钱宫”逆转，会使你的财富也出现转移，出现一种新的局面，你也要小心被骗财、失财、破财。

火星一直燃烧“婚姻宫”，你跟伴侣的关系也变得紧张起来，彼此出现分歧，非短时间内可以解决。

一连串的问题，使你有点措手不及。

幸好你是临危不乱的山羊，明白与其盲目乱闯，不如静观其变，低调自保。

22日后，金星和太阳进入“旅游宫”，你有很好的旅游运，可以到外地舒展身心，吸收新灵感。

星盘提示你，本月遇到烦恼，出门旅游可以令烦恼降温，让你暂时避开斗争，返璞归真。

山羊座本月的好日子

1	2	3	4	5	6	7	8	9	10
11	12	13	14	15	16	17	18	19	20
21	22▲	23♥	24✿	25■	26	27	28	29	30/31

♥爱情 ■事业 ▲健康 ●财富 ✿家庭 ★人际

9月 从旅游中得到助力

本月重点运势

- 事业出现突破
- 爱情生活起风波
- 财政出现压力

你是冷静的山羊，很快便恢复自信，再接再励！

金星、太阳和水星都进入“旅游宫”内，你从旅游及外地发展中得到很大助力，令事业出现突破。

16日后，金星、水星和太阳转到“事业宫”，为事业注入强大动力，你可以全情投入发展，而且过程十分顺利。

不过，其实你本身也承受了不少问题，要逐一化解。

例如火星破坏“婚姻宫”，爱情生活起风波，还有海王星翻转“金钱宫”，财政出现压力，而你的“生死宫”也遭破坏，健康、情绪容易出问题。

奉劝你，最好将其他问题放下。

先集中精神处理好事业，因为机会已摆在眼前，星盘上显示强大的发展力，你要好好把握，事业成功了，其他问题都不成问题。

当然，不管如何忙碌，你都要注意健康，这是一定的呀！

山羊座本月的好日子

1■	2■	3	4	5	6	7	8	9	10
11	12	13	14	15	16■	17★■	18	19	20
21	22	23	24	25	26★	27	28	29	30

♥爱情 ■事业 ▲健康 ●财富 ✿家庭 ★人际

10月 事业健康一样重要

本月重点运势

- 社交生活忙碌
- 事业上得心应手
- 交际增加
- 健康出现问题

你的事业发展得非常好，社交生活也忙碌起来。

月初，金星、水星和太阳继续留在“事业宫”，使你在事业上得心应手，发展蒸蒸日上。

10日后，金星开始转到“朋友宫”，水星和太阳也紧随其后。你开始受人注视，交际也相应增加了。

这是繁荣又安定的月份，星宿集中在上方，你全力向外发展，旁边看不见敌人来干扰。

唯一干扰你，是你的健康！

火星一直燃烧“生死宫”，对健康造成威胁。小心过分暴饮暴食，睡眠不足，生活没规律，令健康出现不平衡。

虽然事业社交很重要，但健康也一样重要。

若得了事业财富，却输了健康，便不划算！

山羊座本月的好日子

1★■	2★■	3■	4■	5	6	7	8	9	10★■
11	12	13	14	15	16	17	18	19	20
21	22	23	24✿	25✿	26✿	27	28	29	30/31

♥爱情 ■事业 ▲健康 ●财富 ✿家庭 ★人际

11月 仍然藏着矛盾

本月重点运势

- 内心矛盾重重
- 对自己充满信心
- 对未来感到忧虑

接二连三的胜利，使你的自信也迅速膨胀起来。

金星与水星一起走进“心灵宫”，可以看到，你在灵性上感到很充实，对自己充满信心。

这一刻，你是骄傲的山羊。

不过，你的内心深处，仍然藏着矛盾。

火星在“生死宫”和“旅游宫”燃烧着，揭示出你对未来仍感到忧虑，而且心灵不断在变化，渴望冲出现有的框框，可惜力不从心。

事实上，很多山羊座经常沉郁在现有空间中，很想自由奔放地驰骋，却背负着很多人生重担和枷锁，郁郁不得志。

过分含蓄收敛，往往使你无法尽情宣泄，把所有困难藏在心中。

从星盘上看，你有这种趋势，一方面自尊又自大，另外犹豫不定，纵使活在幸福中，依然对人生充满疑惑。

山羊座本月的好日子

1▲	2▲	3	4	5	6	7	8	9	10
11	12	13	14✿	15✿	16■	17■	18	19	20
21	22	23	24	25	26	27	28	29	30

♥爱情 ■事业 ▲健康 ●财富 ✿家庭 ★人际

12月 充满傲气和自尊

本月重点运势

- 活力充沛
- 对未来充满幻想和期望
- 一切都朝着好的方向发展

这是充满傲气和自尊的日子，你看上去神采飞扬，充满魅力。

金星走进“本命宫”内，使你活力充沛，表现十分出色。而水星和太阳留在“心灵宫”，你对未来充满幻想和期望，感到整个世界就在你脚下。

这是你最强大的月份，一切都在你操控之中，你心中有任何理想，就尽情发挥吧！

而火星猛烈地燃烧“旅游宫”，这情况，要到明年7月才可以停止。

你一直渴望向外扩展，以你的才华，影响力可以更深远。不过，从星盘上看到，要克服这种困难，还有一段很长的路要走！

其实你已经非常优胜，一切都朝着好的方向发展。

享受眼前最实际，别再自寻烦恼，山羊座！

这段时间，如果你要出门旅游，或者计划移民，到外地发展，都要特别小心，要看清楚形势，不要过分热情，明白吗？

山羊座本月的好日子

1▲	2▲	3	4	5	6	7	8	9	10
11	12	13	14■	15■	16	17	18	19	20
21	22	23	24	25	26✿	27✿	28	29	30/31

♥爱情 ■事业 ▲健康 ●财富 ✿家庭 ★人际

图书在版编目（CIP）数据

读国学，懂人生/李居明著.
—西安：陕西师范大学出版总社有限公司，2010.7
ISBN 978-7-5613-5229-8
Ⅰ.①读… Ⅱ.①李… Ⅲ.①人生哲学-通俗读物
Ⅳ.①B821-49
中国版本图书馆CIP数据核字（2010）第138928号
图书代号SK10N0793B

读国学，懂人生②

李居明2011星座运程

李居明/著

责任编辑/周宏
出版发行/陕西师范大学出版总社有限公司
经销/新华书店
印刷/北京市兆成印刷有限责任公司
版次/2010年12月第1版
印次/2010年12月第1次印刷
开本/787毫米×1092毫米 1/16 31.5印张
字数/200千
书号/ISBN 978-7-5613-5229-8
定价/76.00元（全二册）